楊照作品集②

我的二十一世紀

楊照・著

INK印刻出版有限公司

目次

|第二輯| 時空交纏

作品集總序　　　　　楊照

我少年時候讀徐志摩的〈自剖〉，深感困惑。文章一開頭說：

「我是個好動的人，每回我身體行動的時候，我的思想也彷彿就跟著跳盪，……我愛動，愛看動的事物，愛活潑的人，愛水，愛空中的飛鳥，愛車窗外掣過的田野山水……」

然而第二段立刻急轉直下，變成了：「近來卻大大的變樣了。第一我自身的肢體，已不如原先靈活；我的心也同樣的感受了不知是年歲還是什麼的繫，動的現象再不能給我歡喜，給我啟示。……」

整篇〈自剖〉，就是在剖析為什麼會發生這徹底的大變化，徐志摩創造了一個虛構的朋友的聲音，用嘲諷的語氣幫他解釋了變化後面的緣由，這一部分論理少年我讀不懂，我也沒興趣。可是無論如何我忘不了這段幽黯的描述：

「先前我看著在陽光中閃爍的金波，就彷彿看見了神仙宮闕——什麼荒誕美麗的幻覺，不在我的腦中一閃閃的掠過；現在不同了，陽光只是陽光，流波流波，任憑景色怎樣的燦爛，再也照不進我的呆木的心靈。我的思想，如其偶爾有，也只似岩石上的藤蘿，貼著枯乾的粗糙的石面，極困難的蜒著，顏色是

蒼黑的，姿態是倔強的。」

我困惑，人生真的會這樣嗎？年歲增長，連像徐志摩這樣的浪漫精神化身，都會被窒息了那些活躍波動的感觸，都會被拘執固定成一顆枯呆安靜的靈魂嗎？

少年時候，還讀到葉珊（楊牧）的〈作別〉，深感沮喪。〈作別〉裡寫著：

「多少年來，朝山的香客已經疲倦，風塵在臉上印下許多深溝，雨雪磨損了趕路的豪情。我也曾經在盛唐的古松下迷戀過樹蔭，我也曾經在野地的寺院裡醫治了創傷；我在獵人的篝火前取暖，在野獸的足印裡辨識惟一的方向。只因為遙遠的地方有肅穆的詩靈——而我已經疲倦，倦於行走，倦於歌唱。……事實上我已經很厭倦於思維。我感覺到彩虹的無聊與多餘，我體會到春雨的沉悶與喧鬧；我已經不再能夠掌握鳥囀的喜悅了，看楓樹飄羽，榆錢遮天，那種早期的迷戀也會蕩然。」

為什麼感動與追求，會帶來疲倦與蕩然呢？為什麼行走、歌唱和思維，竟然會帶來絕望的疲憊呢？我不瞭解，正因為不瞭解，更覺得其中有一股荒荒忽忽，如遠方雷鳴或山頂席捲而下的風吼般的巨大威脅。

後來讀了白先勇的〈冬夜〉，心情更是轉為宿命的無奈，原來所有的理想都根源自春青騷動；原來青春結束了，與理想相依相附的一切，浪漫的感懷、激烈的情緒還有與人與物之間的相繫感應，也都會消逝。就像〈冬夜〉裡那兩位老先生，自己被壓在現實底下動彈不得，只能保留一小塊心靈田地，想像著也許遠在地球另一端的對方，還在為年少的理想前進奮鬥。兩

人久別終於相見，得到的不是舊情誼的溫暖，而是互相揭開現實真相後，彼此的終極幻滅。沒有人真正能一直持有理想——這個天啓式的暗影悄悄全面籠罩，讓那個冬天夜晚那麼冷那麼冷。

年輕時，我努力寫作，因為知道青春是有限的，理想與感動或許也是有限的。我的心底藏著一股袪除不掉的恐懼，不知哪一瞬間會有怪獸倏然躍出，大口大口吞噬掉我的青春與理想與感動，只留呆木與疲倦給我。對抗這想像（卻如此真實）怪獸的方法，我惟一的方法，就是寫作，留下白紙黑字的記錄，留下怪獸吃不掉消滅不了的鐵證，證明自己青春過、理想過、感動過。

一路寫下來，對於怪獸的恐懼仍然不時閃動著，不過卻也慢慢發現了寫作不同層次的意義。原來以為寫作只是保留青春、理想、感動證據的手段，寫到一個程度才驀然理解：原來寫作同時可以刺激、甚至逼迫青春、理想與感動，不那麼快從生命舞台上謝幕隱退。

累積的一行一行，一頁一頁，就像是過程的自己，不斷向現在的自我提醒喊話。十幾二十年來逢遇的讀者也不時殷勤持問著、關心著。於是所寫的與所活過的糾纏摶合成不可分不可辨的整體，不可能單純回頭指認這中間哪些是經驗哪些是記錄，哪些是過去哪些是現在。

這整體是我，這整體才是我。那時間變化中，留下了與社會時代掙扎互涉，直至遺忘時間或超越時間的整體，才是我能呈現我能提供的最終與最高，也才是和我摯愛的地方一起繼續動下去的夢想原力。

【自序】

二十一世紀與我何干？

一八七五年出生的湯瑪斯曼，始終覺得自己屬於十九世紀，儘管他的成名傑作《布登布魯克家族》正是一九○一年，二十世紀開端那年出版的。活過十九世紀的人，說老實話，大概都來不及認識湯瑪斯曼是誰，相反地，以二十世紀爲活動舞台的人，卻很難逃過湯瑪斯曼幾本重要小說（除了《布登布魯克家族》之外，還有《魔山》、《威尼斯之死》等）的魅惑影響。

然而湯瑪斯曼自己，卻常常與二十世紀扞格不入。十九世紀不斷在召喚他，提醒他這新的世紀和舊的世紀，有些最基本的東西改變了，而他無可避免地老是悲懷逝去的，厭惡新增的。

如果以湯瑪斯曼作對照，那麼一九六三年出生的我，應該帶著更深的更強烈的二十世紀性格吧。在二○○○年之前，二十世紀性格是以和十九世紀的比較，在我生命中出現的。通過書本傳遞的文學、思想、歷史知識，我酷愛歐洲的十九世紀。那是個真正大突破大發明的世紀。那是達爾文的世紀，進化論徹底改變了人與自然的關係。即也是馬克斯的世紀，歷史唯物論徹底改變了人與社會的關係。那一百年中，從法國大革命的

自由平等博愛，到佛洛伊德的《夢的解析》，有多少驚天動地的人類智識大成就。

我意識到我是個二十世紀的人，因為我多麼希望自己能夠活回十九世紀。二十世紀沒什麼不好，只是顯得有點創意不足。二十世紀的大主流——後現代主義，甚至宣稱所有可能發現發明的新鮮東西，都被發現發明過了，於是後現代的藝術風格就只能追求把不同時代不同派別的元素，做做挪移拼貼了。這像是嘟著嘴的小孩，極不情願地抱怨：「好玩的都被你們玩掉了！」

好玩的都被十九世紀的人玩掉了。進入二十世紀，我們不是不能玩十九世紀玩過的把戲。然而那種開天闢地般的新鮮驚怵不見了。二十世紀的主軸主調，我偏見地以為，是十九世紀歐洲少數知識菁英創造出來的新思想新觀念，一步步擴張占據越來越大的版圖。橫的方面，從歐洲擴散到北美，再到亞洲，乃至中南美及非洲。縱的方面，菁英思想普及影響貴族，再滲透入小資產階級乃至勞工階級的生活肌理中。

因為不能隸屬於十九世紀，才強烈明白自己生在二十世紀的意義。也才明瞭湯瑪斯曼作品的真正價值所在。他和寫《追憶似水年華》的普魯斯特，都是帶著十九世紀的有色眼鏡，在觀察二十世紀。他和普魯斯特，也都因為洞悉十九世紀，所以能對二十世紀提出尖銳又準確的看法。

二○○○年之後，二十一世紀撲面襲來，周遭到處是關於新時代新趨勢的觀察、討論。我想起湯瑪斯曼，想起他的十九世紀情結，因而發現了另外一種試驗自己二十世紀屬性的方

式。應該如何認知、理解、詮釋洶洶而來的新現象新變化呢？新現象新變化眞正的意義所在？

這些文章被編輯爲《我的二十一世紀》，因爲它們不折不扣都是談二十一世紀新趨勢的，然而在敘述與詮釋中，無可避免帶著我自己濃厚的二十世紀、甚至遠溯十九世紀的價値與標準。從一個角度看，這裡面有最炫最酷的潮流趨勢面貌，換另一個角度，這裡面卻又有一個沉迷於十九世紀的歷史的人，對於某些悠久傳統、深厚人文精神的根本堅持。

如此歧異混和出來的東西，會是什麼？是冷靜近乎冷酷的流行現象解析？是戴上炫惑面具的古典價値闡述？還是帶點看熱鬧意味的風涼話大集錦？我不知道，無以名之，只好名爲《我的二十一世紀》。

第一輯

我的
二十一世紀

　　我酷愛歐洲的十九世
紀。那是個真正大突破大發
明的世紀。二十世紀沒什麼
不好，只是顯得有點創意不
足。好玩的都被十九世紀的
人玩掉了。因為不能隸屬於
十九世紀，才強烈明白自己
生在二十世紀的意義。

早到的二十一世紀

　　那年我們發現了「世紀末」，發現了克林特(Gustav Klimt)詭異、色情、如夢如幻如潛意識流盪般的畫作。

　　直接的來源是那年剛創刊不久的《當代》雜誌製作了「世紀末專題」，間接的精神活水則是蕭士基(Carl Schorske)早在一九六一年就完成的歷史名著《世紀末的維也納》。別怪我們為什麼整整晚了四分之一世紀才受到震撼，畢竟我們對於西方對於歐洲的理解是多麼的片段零碎，也畢竟要到八○年代後期，二十世紀才開始進入它自己的「世紀末」。

　　「世紀末」和克林特的畫，替我們開啓了一扇望向自我心靈的門。在那之前，我們不是沒有聽過讀過一點佛洛伊德的理論，什麼「原我」、「自我」、「超我」的，我們也許興味盎然，但絕未被感動。

　　這次我們被感動了。原來佛洛伊德會在一九○○年出版《夢的解析》，會那樣理解夢與現實、意識與潛意識，和十九世紀最後幾年的維也納的氣氛，大有關係。那種氣氛是末世的、悲觀的、頹廢的，不覺得世界可以一直這樣清明理性地進步下去，覺得人的內在有一隻看不見摸不著卻隨時可能跳出來的欲望之獸，覺得唯有放棄規範教條，在放縱與放蕩中，我們才有

辦法和眞實自我覿面相見，那樣普遍、強大的世紀末不安裡，迸發出了知識與藝術的驚人原創力量。

經歷了十九世紀的世紀末，人從單面單層的存在，變成多面多層的。二十世紀從這個前提出發，開創出了和以前人類生活都不一樣的環境。

我們訝異、我們興奮，原來世紀末可以這麼不同。我們更因而期待，一百年後，又到了世紀的終結期，也許另一個世紀末會給我們再一次人類文明意識與藝術創作上翻天覆地的大變化。

八○年代後期，世紀末氣氛正濃。一種無聊慵懶的情緒正在世界各地蔓延著。「後現代」響亮的口號正是這種無聊慵懶最佳代表。「後現代」的一個重要核心概念，其實是很絕望、很自暴自棄的。那就是：這個世界不會再有新鮮事新鮮東西了。讓我們不要再假裝了，所有原創可能都被過去的人給玩完了，我們現在還能玩的，充其量只是把前人發明的各種元素，打亂其脈絡，東拼西湊，弄出不協調不合理的怪東西來。

「後現代」還有另一個重要核心概念，也是很絕望很自暴自棄的。那就是：眞理並不存在，就算存在也找不到。所有我們以爲的眞理都是各種力量建構的結果，你不同意我、我不同意你，也不必爭出什麼結果，就各說各的、各信各的吧。

這樣的「後現代」，就像一百年前的「世紀末」風格般，嚇壞了一部分人，卻也吸引了另一部分人前仆後繼地投身加入。一時「後現代」成了流行、成了顯學也成了到處被喊打的過街老鼠。

　　不過「後現代」風潮卻沒有真正撐到二十世紀的結尾。九
○年代，先是有共產世界的大崩潰，接著是全球化的貿易賺錢
新局面，再來就是網際網路的突破性發展。這些變化，一下子
把原本的悲觀、自暴自棄、百無聊賴掃得乾乾淨淨。

　　沒有幾年，「後現代」快速退潮了，「世紀末」也少有人
提起了。雖然時序還沒走到二十一世紀，可是心情上氣氛上，
全世界早已經進入「新紀元」的形態了。到處是新東西、新想
法、新希望。

　　當你還在為送走二十世紀而倒數計時時，其實二十一世紀
早已悄悄地先來了，「世紀初」的心情與氣氛早已包圍了我
們。

歷史學家的二十一世紀

就像「斯斯有兩種」，歷史學家也有兩種。

一種歷史學家因為檢驗了過去的流變，所以容易被現實所激動。另一種歷史學家因為整理了人類經驗的大經大緯，所以對現實反而冷漠、無動於衷。

這樣兩種歷史學家的極端差距，在十九世紀末曾經明顯地展現出來。到了二十世紀即將終結時，兩派之間的對峙齟齬，免不了又開始加溫醞釀。

為什麼世紀之交特別容易助長這種爭議？雖然理智上我們知道、我們可以分析，世紀只是一種方便的計數方法，本身並沒什麼本質的、神祕的意義，二○○○年的最後一天和二○○一年的第一天，太陽一樣升起、月亮一樣落下、一樣的一千四百四十分鐘、世界一樣運轉。

然而在心理上，我們卻沒辦法阻止許多人感覺到某種階段性的大變化。冥冥之中，有什麼結束了，舊的一去不返；冥冥之中，有什麼前所未有的開始了。「新紀元」不只是數字，而是「時代精神」(Zeitgeist)的替換，是生活、意識上的實質轉型。

人依靠心理的預期來打造現實，社會順著集體心理預期來

改變其面貌，這種對新事物的預期產生了對新事物的彰顯、追求、創造、擁抱，結果可能就真的讓一切看起來不太一樣。

問題是，歷史學家爭議的是，這些在「新紀元」、「新時代」被熱烈關注的東西，到底有多新？

一派歷史學家，他們傾向於看最近的歷史發展，於是熱情地一一列舉出十年前、二十年前、五十年前所沒有的東西，因而興奮地宣告著我們真的在迎接「新紀元」、「新時代」。

像是數位科技。像是網際網路。像是光纖傳輸。像是全球化的資本主義市場。像是滿街的手機。像是和米蘭、巴黎、紐約、東京同步流行的時裝……

進一步，這派的歷史學家會把「新紀元」與「舊時代」之間的差異，投射到未來去。如果我們和十年前已經有那麼大的不同，那麼十年後，我們將和現在又大大不同了。十年前，我們必須花三天才能遞送一封跨國郵件，現在電子郵件可以在一秒內完成送達到世界任何角落的任務。那麼我們當然可以預期十年後：我們可以用幾秒鐘下載一部電影，幾分鐘就可以在台北取得美國國會圖書館的所有資料，也可以把台北設計的3D建築詳圖傳到馬德里……

他們對未來因而也是樂觀的。

另一派歷史學家，卻看到了更長更遠的人類不斷重複在做的一些蠢事。包括過度自信過度樂觀，也包括了忽略了人自身無法突破的缺陷限制。電報電話發明時，十九世紀的人也覺得那是潛力無窮的資訊革命。電視出現時，大部分的人都不相信報紙甚至書籍還能再存在流傳下去。人造衛星發射成功，多少

人預期人類就要展開太空探險了。一九二九年美國股市崩盤前夕，大部分的投資人相信股市的高價位是有道理的，不能用舊式泡沫概念來分析、理解的……

　　這樣的歷史學家挖出了許多證據提醒：我們現在作的夢以前的人也作過，所以我們大有可能像以前的人那樣夢醒幻滅。

　　例如說這樣一段話：「許多財經人士認為，美國已經進入『新資本主義』，愈來愈多人成為資本家。三年前約有六百五十萬名美國人持有上市公司股票，如今人數增為七百五十萬人。共同基金的資產總值十年內增加了六倍。企業實施員工認股制度，數千位勞工本身就是公司股東。」

　　你以為這是對九○年代現狀的精確描寫？不，「老靈魂」式的歷史學家告訴你，這是出現在一九五五年《新聞周刊》（Newsweek）上面的文章！

　　你相信哪一種歷史學家給我們的二十一世紀圖像呢？嗯──好像真的值得認真想想。

二十一世紀的樂觀與悲觀

　　雖然在世紀之交曾經掀起過一片「世紀末」的頹廢風，二十世紀開頭之後，很快就從頹廢中清醒過來，重新回到十九世紀的樂觀主題上。

　　那是帝國主義的時代，那也是科學主義的時代。那是大發現的時代，那也是大發明的時代。不斷出現開創性的大發明，使得西方人相信科學終必能解決一切問題。持續的大發現與大擴張，更讓西方人相信，他們終究可以把科學與科學的力量帶到世界的每一個角落。

　　「全世界的黑暗，熄滅不了一根蠟燭的光明。」在這個當時流行的譬喻裡，西方自比是光明的化身，而其他還沒有接受現代性洗禮的社會，則是黑暗。光明與黑暗的頡頏爭鬥，必然是光明刺透劃破黑暗。黑暗本質上是一種匱乏、是一種被動的狀態，科學上的黑暗(darkness)和傳統宗教概念裡的黑暗截然不同，它沒有能夠作惡的力量，它沒有辦法對光明反撲，它必然臣服於光明之下。

　　更何況西方現代科學帶來的，絕對不只是「一根蠟燭的光明」。西方現代科學是不斷燎原延燒的大火，燒到哪裡照亮到哪裡，從原本對於物理的解釋，一步步擴及到處理社會、甚至處

理最幽微的人的心靈。

這是二十世紀初的大樂觀。然而二十世紀才過了十分之一多一點，一九一四年就爆發了恐怖的第一次世界大戰。這場戰爭的可怕，第一在於用上了科學所發明的最殘暴最血腥的武器，以前所未見的效率屠殺了大量的生命。這場戰爭之可怕，第二在於交戰的主角是歐洲國家，都是自詡現代、進步的國家。這場戰爭之可怕，第三在於發展出了「壕溝戰」，敵對雙方各占壕溝、對峙攻殺，死了幾百萬人也沒有任何實質的進展。沒有比「壕溝戰」更荒謬更無意義的生命浪擲了！

可怕的戰爭製造了最挫折的心理效果。打完仗之後的歐洲人驀地發現：光明是假象虛象，光明的內在竟然藏著最黑的黑暗。不，也許應該說，原本以為的光明竟然可以創造出這個世界之前無法想像的最黑的黑暗。

就算歐洲再度被蒙古人征服，也不會帶來這麼大的打擊。原本自信滿滿的歐洲人，發現自己是最大的敵人，自己是最恐怖的邪惡力量所在，被自己打敗比被其他任何人打敗更令人無法接受。

於是在戰爭結束後，逆轉出現了悲觀的大狂潮。一次大戰後，全歐洲最受矚目最暢銷的書，是德國人史賓格勒寫的《西方的沒落》。這本書最主要的論點認為：文明像季節有春夏秋冬、像有機體生命有生老病死，而西方文明正邁過了盛夏走向寒冬，度完了盛年邁向老年。

大悲觀帶來了大檢討。檢討了好多年，才慢慢浮現出一些比較理性的答案。其中一個答案具有高度啟發性。那就是認為

樂觀原來帶有自我毀滅的必然結構。十九世紀到二十世紀出的最大毛病，就是科學開啓了樂觀的理由，大家看到科學的現實成就，當然有理由投射、預期未來。大家看到過去以爲一定沒辦法解決的難題，現在被科學解開了，自然會想像現在我們以爲不可能的事，到未來，等時機成熟了，一定也會在科學前面迎刃而解。

不再有不可能的事，換句話說，人們對於生活的疆界感(boundary)被瓦解了。人們天馬行空地作各式各樣的美麗幻夢，再也沒有標準去檢驗什麼是可行的、什麼是不可行的。於是原本按部就班的程序被打破了，原本存在的欲望的基本圍牆也倒塌了。無窮橫流的欲望、沒有規範的追求，怎麼能不帶來災禍呢？

如果以二十世紀發生的事做比擬的話，二○○一年四月美國那斯達克大崩跌最接近一九一四年的世界大戰爆發。因爲這兩件事都是終結世紀初樂觀氣氛，引進悲觀檢討的轉捩點。

如同此書開頭解釋過的「早到的二十一世紀」。二十一世紀的樂觀氣氛早在一九九○年代便搶先來臨了，帶動這波樂觀的主力，是美國「新經濟」的強勁成長，是網際網路飆漲的「本夢比」。

樂觀氣氛下，愈來愈多人相信在網路的世界，沒有什麼是不可能的。套句嘲諷英國國會的話，「除了不能叫男人生小孩之外，它無所不能。」在網路的時代，你連要確定地說「男人是不會生小孩的」，都會有人不同意、有人要跟你爭辯。

這樣的氣氛和股票市場和資本流動緊密連結在一起時，產

生的效應就是：如果有人宣稱可以透過網路讓男人生小孩，他不需提出任何證明，就能夠獲得大量的金錢挹注支持。他之所以不需要任何正面資料，只需要一個「故事」，因為在樂觀的前提下，沒有人有辦法確切反證：男人絕對不會生小孩，不管有沒有網路。

這裡就產生了一套自我加強、自我催眠的樂觀循環機制。樂觀，所以只要有夢想就有去試驗的機會；有資金，所以再大膽再神奇的夢想都變成了公司，變成了看起來像模像樣的實際成果；結果就讓許多人誤以為這些還停留在「故事」階段的夢想，已經是網路世界的現實，刺激出更樂觀的期待來。

這種機制中當然藏著許多危險。最大的危險之一，是我們再度失去了那種現實的「界限感」。「不切實際」這個字眼一度在網路產業上是不被接受的，然而很不幸的，只有清楚知道什麼是「切實際」的道路，具有永續發展性的事業才有可能出現；只有先曉得了哪些事是絕對不可能的，我們才有辦法真正去做出有可能的事。

另一個潛藏的危險，是大家集體淹沒在對未來的熱情期待裡，而喪失了現實的「時間感」。想要追求未來的人，一定得要知道：未來是個最狡猾的情人，因為它可以變換千千百百種面貌。明天是未來，明年也是未來。五年後是未來，五十年後也是未來。

在「未來」的大旗幟底下，大家把明天和五十年後混為一談，也就不去判辨什麼是明天可能達成的目標，什麼是要花五十年才能等到的突破。相應地，我們不會懂得放棄五十年的空

洞期待，把資源力量集中在明天可以做到的進步變化上。

　　二十一世紀比二十世紀幸運得多的地方，是過度樂觀的氣氛不需要靠恐怖的、毀滅性的戰爭來做調整。從這點我們可以看出二十世紀一百年的轉化力量。商業資本市場取代了國家，成為最主要最有力的操控者；而且金錢也取代了砲彈，成為最大的權力獲取工具。不再是「槍桿子出政權」，而是「金錢造就市場」，槍桿子和政權都落伍、不重要了。

　　美國那斯達克崩盤，帶來網路事業的頓挫，許多網路公司應聲倒地，在市場冷鋒停留狀況下，有了比較悲觀的檢討。這當然不是壞事。二十世紀的經驗是，在悲觀中終結了帝國主義，終結了祕密外交，終結了盲目的科學主義信仰。可是二十世紀的經驗又提醒我們，第一次大戰結束二十年後，人類又重蹈覆轍走向更可怕的戰爭之路，樂觀與悲觀的頡頏循環，顯然不會那麼容易就有勝負、有定論的。

二十一世紀全球化的現實權力

一九九九年秋天，在強人卡斯楚的規畫主催下，古巴全國總動員，向國際社會提出了一項訴訟，要求美國對古巴賠償一千八百億美元。

一千八百億美元是古巴估計美國對古巴採取禁運制裁，所造成的長期損失。古巴人民不只是無法和美國進行正常的貿易，而且由於美國的強勢作梗，古巴和其他國家之間的經濟合作也都大受影響。

卡斯楚特別選在十一月九日，正式提出這項國際訴訟，因為這一天是聯合國每年固定要就美國對古巴禁運投票的日子。在聯合國的案子很簡單，就是由大家投票表示意見，看美國是不是應該撤銷對古巴的禁運抵制。投票結果如同往年般呈現一面倒，不，比往年更一面倒，票數是一五二比二。在少數這邊的兩票，一票是以色列，一票就是美國。

換句話說，如果看這個票數，我們可以明確地說，古巴擁有國際社會大多數的同情與支持，相對美國的立場卻是很孤單的。不過別忘了，我前面說的，這投票只是「由大家來表示意見」，雖然面對這麼強大的反對聲浪，美國照樣堅持對古巴的禁運政策。別人也拿它無可奈何。

　　其實卡斯楚也知道一千八百億美金的國際訴訟案，依然拿美國無可奈何。這樁國際訴訟當然不會是國際法上的大事，頂多看能不能炒成外交宣傳上的大事罷了。

　　不過我們可以換一個觀點，看出美國與古巴如此互動中，對未來世界體系的提示。卡斯楚提出的一千八百億美金的數字，其實正就是古巴這樣一個國家，被阻斷在全球化經貿過程以外，非常具體而實質的損失。

　　美國對古巴的懲罰報復，雖然作法沒有太大的改變，效果上卻有前後兩階段的差別。在蘇聯瓦解、冷戰結束之前，禁運只是使得古巴變成蘇聯集團的邊陲地帶而已。古巴不能像其他中南美洲國家，依照自然地理形勢，和美國發展比較密切的經濟分工互動，但古巴不至於因為這樣就陷入困境，卡斯楚仍然能夠強悍自主地發展他引以為傲的醫療、教育與社會福利體系。

　　可是九〇年以後，情況就不一樣了。美國經濟情勢大好一路上升，古巴卻陷入卡斯楚說的「特別時期」，面臨了空前危機。不只是因為得不到蘇聯的奧援，更重要的是，古巴被完全隔絕在快速變動重組的全球化網絡之外了。

　　卡斯楚畢竟是個聰明人。他立刻感受到這個階段古巴受傷和以前不一樣了。他努力做了許多調整，他也算出了一千八百億美金這個其實並不離譜的損失程度。

　　一千八百億美金分攤給古巴人，每人可以分到一萬多美金，超過目前水準下一生的總所得。這樣數字為什麼是合理的？因為全球化過程對於像古巴這種發展程度的經濟體，本來

就具有快速成長的乘數效果。

　　卡斯楚當然要不到這一千八百億美金的賠償。這點又提醒了我們，全球化以全球爲對象，可是全球各國各地扮演的角色卻大不相同。美國一己的力量就可以阻古巴於全球化的門外，美國的龍頭位子無可置疑，全球化內在的現實殘酷，也無庸置疑。

二十一世紀的國家崩壞

雖然我們到現在還很習慣用「國際關係」的基本架構，來解釋解讀這個世界的戰爭與和平。然而在歷史的現實上，國與國之間的衝突齟齬，其實從來不是最核心最普遍的現象與原則。

建立起「國際關係」雛型的，是帝國主義時代的歐洲。十九世紀的世界，的確就是歐洲的國家競爭主宰了世界秩序。它們把競爭的舞台不斷擴張到其他地方，因而裹脅強迫了亞非等地的人民也被捲入其中，才完成了人類歷史上第一個眞正以全球爲範圍的「世界秩序」。然而在這套秩序裡，被殖民地區是在不得已情況下才引進歐洲模式，摸索建立自己的國家，國家組織對這些區域的人民而言，是外來的、是突發的，也是爲了保護自己而不得不採取的緊急措施。

不管如何認眞努力學習模仿，新興國家畢竟得臣服於殖民勢力底下，幾乎沒有什麼國家自主決策下的外交空間。換句話說，在那樣的時代，只要掌握住少數歐洲國家的動向，也就能夠找到戰爭與和平、衝突與妥協的線索。其他廣大地區眾多民眾，在這個帝國強權的世界圖像裡，無足輕重。

兩次世界大戰之間的那三十年，最接近「國際關係」的單

純概念。第一次世界大戰打垮了許多帝國，加上美國總統威爾遜的民族自決理想鼓舞，新興國家終於可以擺脫帝國控制，追求自己的「生存空間」。這是國與國關係最明確、國與國關係最重要的一段時期。

　　然而國家取得獨立自主、近乎絕對意志地位後，導致的結果就是彼此間認定的「生存空間」必然無法妥協，於是而有了人類歷史上最慘烈的第二次世界大戰，真正把全世界三分之二以上地區都捲入的總體大戰。戰爭在付出可怕代價後終於平息，在廢墟濃煙中崛起了聯合國的理想，以及冷戰兩大集團對峙的現實。

　　不管是聯合國或冷戰架構，其目的都是要馴服「國家」這隻怪獸，說服或逼迫「國家」臣服在一種更高等的原則之下，不得輕舉妄動。冷戰容或有其非常荒謬與扭曲的面相，不過整體而言，兩大集團首領──美國與蘇聯──強硬地取消了旗下各會員國個別發動戰爭的權利，卻的確為世界保持了四十年相對和平的時間。

　　一九八九年柏林圍牆倒塌，冷戰時期正式宣告結束，人們在象徵冷戰隔離的柏林圍牆舊址上歡欣載歌載舞，邪惡帝國終結了，沒錯，但同時也終結了維持前蘇聯集團內部表面基本秩序的實質與精神力量。

　　整個九○年代，除了美國獨大獨強之外，另一個明顯的現象是國家內部的衝突，成了戰爭的主調。這十年中，沒有什麼主要的國與國的戰爭爆發，然而卻有多到難以計數的內戰四處延燒。蘇丹就打了超過十年。索馬利亞、盧安達在非洲，前南

斯拉夫、蘇聯中亞各國也都打得不可開交。還有另外一個例子就是阿富汗。

伊拉克出兵占領科威特，美國立刻發動「沙漠風暴」，一個原因是這種衝突屬於「國際關係」的規範下。可是對於各地可能更嚴重的內戰，囿於國際規範，不能侵犯內政的至高原則下，就沒有辦法介入、沒有辦法處理了。所以「沙漠風暴」成功地將伊拉克趕出科威特，但卻後繼無力不可能解決伊拉克境內庫德族遭到迫害屠殺的問題。

這種關在國境內的戰爭，可以有各種不同的理由。種族歧異與宗教派別是最主要的點火力量。在國境的保護下，這些激烈的主張得到了戰爭的支持幫助，在九○年代大肆成長。

從這個角度看，二○○一年發生的「九一一」，可以說是對國家架構一項劃時代的更大衝擊。在阿富汗內戰中成長奪權的激進宗教教規主義神學士政權，在賓拉登的恐怖主義策略協助下，跨出國境，向美國宣戰。但這場戰爭，既不是國與國間的正式對抗，也不是真正的全面性宗教聖戰。

而是在已經殘破卻未見修補的老舊國際架構下，長出來的畸形怪胎。賓拉登與神學士退而可以躲進國家主權保護傘內，不受國際「控制」，必要時卻進而可以找到這舊架構裡的縫隙，發動恐怖殘酷攻擊。

如果再加上中國終於正式加入世界貿易組織的發展，我們可以很明確地預見，二○○一年的這些變化，逼迫著一種新形態二十一世紀全球規範，非在最短時間內浮現成形不可。「國際關係」已不足以應付現實壓力，然而在國家之上，滲入國家

之內，應該有怎樣的新安排？「九一一」之後，這是逃避不掉
的主流課題了。

不再有壯麗奇觀的二十一世紀

　　一年多來，英國王儲查理王子每次搭他自己的私人飛機要離開倫敦時，都要提醒駕駛記得稍微飛偏航道繞一下，因為他不想從窗外看出去看到「千禧年圓頂」(Millennium Dome)，那樣會嚴重影響他的心情。

　　在倫敦上空，要不看到「千禧年圓頂」還真有點難。因為這座由羅傑斯（Richard Rogers）設計的紀念建築龐大得不得了。據說它已經成了中國萬里長城之外，唯一在外太空也看得見的人造物體。如果我們把巴黎的艾菲爾鐵塔推倒橫著擺，可以輕輕鬆鬆放進「千禧年圓頂」裡，一點問題都沒有。

　　對連想要有一座可以容納個標準棒球場的巨蛋，都等了十年還等不到的台灣人來講，「千禧年圓頂」簡直是個天方夜譚神話故事。英國人本來的確有意把這座建築弄成一個足以代表人類告別二十世紀、邁進二十一世紀的象徵神話。「千禧年圓頂」不止是大、不止是形狀特殊，而且選擇蓋的地點是一塊曾經遭受嚴重工業污染，以至於荒涼如廢墟的區域。「千禧年圓頂」可以讓這塊地方起死回生，代表人類告別了無知濫毒的舊時代，開啟歷史上與地球建立新關係的另一頁。

　　「千禧年圓頂」還是大博覽會的展示場。博覽會的主題當然

是「未來」。走進「千禧年圓頂」，你不只是可以想像未來，你可以感受未來，活在未來的環境氣氛裡。

聽起來真的不錯，不是嗎？值得工黨政府從保守黨舊政府手裡接下這個案子，積極投注超過十億美金來大力推動。也值得倫敦人、英國人、甚至全世界的觀光客熱情歡迎，不是嗎？

那查理王子為什麼會有如此強烈的負面反應呢？我們知道他除了專業當王子之外，另有一項副業是建築評論家，他厭惡「千禧年圓頂」怪異的模樣，這是可以理解的。不過他的厭惡不僅止於此。而且更嚴重的是，和他一樣討厭「千禧年圓頂」的人，遠超過喜歡、贊成的人。

例如百老匯最知名的音樂劇大師韋伯(Andrew Lloyd Webber)乾脆就提議給「千禧年圓頂」一個壯麗的大結局——放一把火燒掉。他認為會有幾百萬人願意付錢買票來看這支二十一世紀的大火把，這樣英國政府就能夠解決「圓頂」帶來的財政麻煩了。

為什麼原本規畫、構想得好好的一個千禧年紀念大活動，會失敗得一塌糊塗呢？這中間當然有些意外，有些人謀不臧的地方，然而最核心最核心的問題出在：整個計畫畢竟還是套襲了二十世紀的老模式，沒有真正顧慮到二十一世紀的趨勢變化。

首先，二十一世紀不再需要這種大型的萬國博覽會了。二十世紀之前會流行萬國博覽會，那是因為整個世界看起來還那麼廣闊、還那麼神祕、還那麼不一樣。大家都有未被滿足的好奇心，想知道別的國家別的社會別種文化別種人，到底長什麼

樣子。好奇心製造了奇觀(spectacle)存在的基礎。

那是沒有飛機、沒有頻繁觀光旅遊、沒有Discovery頻道、沒有網際網路的時代。那更是全球化力量還沒有橫掃全球,將各地都變得愈來愈一致的時代。

「圓頂」的另一個錯誤,是忽略了二十一世紀現代人,生活中充滿了「未來」,甚至到了對「未來」厭倦的地步。「未來」被高度商品化、庸俗化了,「未來」的暗示、「未來」的訊息隨地都是,純粹再想以「未來」作號召,反而失去了吸引力。

我們哪裡都去得了、什麼稀奇古怪的東西都看過了,難免會希望倒過來追求一點比較親切、比較現實、甚至是比較古典些的感動。沒有比那巨大的「圓頂」更遠離親切、現實與古典品味的了,難怪這項想要追求未來的大計畫,最後把自己的未來給葬送掉了。

在二十一世紀重新認識環境的力量

　　十九世紀法國小說家，幾乎以隻手撐起「自然主義」大旗的左拉，標榜以科學精神在虛構的小說世界裡蓋起一座人與社會的實驗室，經過探索、研究後，結論是人會成會敗、是富是貧、能貴能賤，主要取決於遺傳和環境兩種力量。

　　這話現在聽起來簡直沒有什麼意義。因為我們已經太熟悉太清楚遺傳與環境這兩項因素的巨大力量了，不是嗎？不過回到左拉那個時代，他的見解還是具有一些突破性的貢獻。一項是他的主張，大大打擊了理性主義啓蒙概念裡，對於人主觀意志的信心。左拉明白地說：你遺傳了什麼樣的人格性質、又處在什麼樣的社會環境裡，這兩樣互動激盪之後，你就被決定了，你自己主觀上想幹什麼，想變一個怎樣的人，甚至你做了哪些努力，都是沒有用的徒勞。左拉的另一項貢獻卻又弔詭地提高了理性主義科學信念的地位。他認爲我們只要能夠蒐集一個人完整的遺傳與環境資料，根本不必等他的生命在眞實時光裡開展出來，在我們的智識運算下就可以算出他到底會變成什麼樣的人。

　　左拉的這套思考模式，後來有了新的發展。在左拉概念下應該是手牽手一起來決定人類命運的遺傳與環境，在二十世紀

初期開始分離成為敵體。於是探討的主題轉而成了：到底遺傳對人的影響大些，還是環境模塑性格的力量大些？在英文裡面，就用了巧妙的一組近音字：nature vs. nurture來括納這個牽涉多種學科、深入人心基本想像的大論題。

基本上，生物學家站在支持遺傳因素的一個極端；人類學家則站在支持環境因素的另一個端點上。你來我往的熱鬧情況，經歷了兩次毀滅性的世界大戰，為了要弄清楚人幹嘛如此既愚蠢又殘酷地互相毀滅，更加是一波波風潮不斷。

這組nature vs. nurture的主題，一直要到二十世紀的六〇年代，才出現了較大的轉折。在學生運動、左派行動主義的席捲下，本來已經被左拉排除在外的個人自主意志，又回到戰場上，破壞了nature vs. nurture對峙的平衡狀態。

從六〇年代到九〇年代，我們看到個人意志論的大復活。不管是環境或遺傳，都不能真正決定一個人。每個人都是個自主的個體，他必須為自己的存在做選擇、負責任，這樣的想法成了「政治正確」的主流。影響所及，我們看待社會問題、分析政策設計，也都是以個人性格與決定風格作為基礎變數，換句話說，每個人都是不容被化約的單位。

然而進入二十一世紀，我們看到遺傳與環境悄悄地回來了，正在一步步侵蝕個人意志論的主流價值。最具體、最凸出的例子，是美國紐約市在九〇年代驚人的治安大改善，犯罪率在短短幾年內降低了百分之七十，凶殺案更少了百分之八十。這種巨變很難用個人選擇來解釋，怎麼可能這些人都突然一起良心發現、改邪歸正呢？

　　爲了尋找解釋，像「破窗理論」這種說法就成了新流行、新主流。強調環境中的暗示力量，遠大過許多人的自主選擇。在一個出現破掉窗子沒人管沒人修的地方，治安就會開始敗壞；相反地，如果破窗斷瓦都立即有人修復的話，做壞事的動機就會大幅下降。

　　二十一世紀，環境因素與環境的討論正捲土重來成爲新顯學。

二十一世紀的容顏

我記得聽蔡康永開玩笑地說過：以前的語言裡說人家「閱人無數」，不是什麼恭維。只有從事特殊行業，必須生張熟魏的，才會「閱人無數」。可是現在的人，你只要在家裡客廳坐著看一晚上的電視，任憑遙控器帶你遊走各頻道，也就「閱人無數」了。

而且認真一想，那一晚上你所看到的無數的人的容顏，還都不是真面目（當然，除非你看的都是運動頻道，看一張張汗水淋漓的選手的臉），而是經過仔細化妝、打燈之後才播送出來的臉。

當然更不必說這些臉能夠出現在電視上，許多事先就經過嚴格的篩選。他們必須符合某種特定的標準，某種美的標準，或是某種固定角色印象的標準，或是某種風格的標準。

不只是臉，其實我們這個時代的人，也看過最多不同的身體。不管是穿著經流行服飾裝扮的身體，還是裸露的身體。網際網路大鳴大放的時代，大家都很清楚一件事，到目前為止，在B2C（消費者導向）的市場上，真正穩穩當當有利可圖的，只有色情網站。色情網站販賣的是什麼？是你以前沒有機會那麼容易、方便取得的大量裸露身體與性交的圖片、影片。

　　我常常在想：這樣一種社會力量，驅使我們看過空前龐大的別人的臉孔、別人的身體，到底會怎樣改變怎樣影響我們看待自己的臉孔、自己的身體的態度？

　　第一個很明顯影響，就是我們對臉孔、身體的自覺勢必節節升高。雖然女性主義者熱中地討論身體的自主性、自主權，但是社會上真正的趨勢卻是化妝品與瘦身美容的市場以驚人的速率成長。甚至我們不得不倒過來看，發現某些身體自主權的討論，其實也正是這種「比較意識」潮流下的產物。

　　我們沒有辦法不比較。而且這比較的標準勢必愈來愈高，也勢必讓人對自己身裁長相的不滿意度與焦慮感愈來愈高。以前的人只需要和自己生活範圍內有限的幾個人做比較。你可以是那條街上最美麗的豆腐西施，可以是班上最帥的男生，可以是全公司身裁最好的總機小姐。能夠在有限生活圈裡受到肯定的機會很多。各個不同生活圈裡的美的標準也會比較多元多樣。當然，生活圈以外還是會有戲院銀幕上好萊塢電影裡的大美女、大帥哥，不過那畢竟太稀奇了，畢竟是要花錢才看得到的奇景(spectacles)，很少有人會拿那種標準在真實生活裡自我要求。

　　現在不一樣了，未來可能更不一樣。全世界，尤其是美國、日本和台灣本身最漂亮最窈窕的男生女生，隨時都在電視電腦螢幕上晃來晃去。他們不再代表可遇不可求的最高理想，而變成了現實裡的普遍標準。

　　和日劇女明星一比，班花校花實在都還有待努力。和葛妮絲‧派特洛一比，公司裡的所有同事氣質實在都有待加強。和

費翔一比，全台灣的中年男人實在都鬆垮垮的，讓人忍不住皺眉頭。

而且這種嚴厲的比較要求，已經不是在顯意識層次上進行了，而是深深滲透進潛意識裡，隨時在生活的每個角落每個瞬間翻攪我們的不滿不屑與不安。

不滿不屑是對別人，所以我們愈來愈難真心地喜歡、迷戀周圍現實裡的人的外表。在比較下，「情人眼裡出西施」的效果必然打打扣，間接地使得關係不穩定。不安則是對自己的，在某個心靈暗處，我們每個人都在滋長著前行代不曾經驗過的自卑感。

「閱人無數」之後，我們宿命地多了許多不滿不屑與不安。

追求真愛是二十一世紀的天路歷程

　　十七世紀英國傳道者約翰・班揚(John Bunyan)寫下了著名的《天路歷程》(The Pilgrim's Progress)。《天路歷程》描寫了人的生存中最重要的經驗就是追尋上帝的救贖，趨向上帝的過程就好比是一場長程的旅途，旅途中有各式各樣的遭遇，跋山涉水之外，還要和惡獸搏鬥，艱險地度過難關，只有這樣，才能找到上帝、找到生命的歸宿。

　　在班揚的概念裡，朝向宗教的這趟「天路歷程」，是每個人都必須走、而且必須自己走的。他所處的時代正是宗教改革之後不信任教會的氣氛瀰漫，新教裡強調人可以不假借教會，自己去接觸、面對上帝的聖靈。班揚的生平經歷，恰好就是這種信念最佳的註腳，他不但沒有上過教會學校，他甚至根本沒上過什麼學校。他出生時是一個補鍋匠的兒子，他長大後自己也成了一個窮補鍋匠。這樣的人竟然可以變成一個傳道者、甚至變成一個大文豪！

　　從我們今天的眼光來看，這簡直不可思議。然而在那個時代，這種事被視為理所當然。愈是窮賤出身的人、愈是沒有任何教育資源的人，他們愈是可能單憑聖靈的啟發，就「向上提升」成為信徒、甚至聖者。他們出身與成就間的龐大距離，才

最能證明聖恩聖澤的存在。

從十七世紀以來，很多事情都變了，班揚當年朝聖的對象
——基督教的神的真理，也早已經土崩瓦解了。可是這幾百年
來，不變的是人生命中的「天路歷程」，只是不同時代的人追求
不一樣的目標。

有一段時間，大家追求烏托邦的社會。有一段時間，大家
追求民族的尊嚴。有一段時間，大家追求科學的真理。有一段
時間，大家追求民主的政治權力。不同的追求，然而追求的熱
度，以及追求過程中的千曲百折，其實和班揚所描寫的都沒有
太大的兩樣。

進入二十一世紀，我們有什麼新的天路歷程朝聖對象嗎？
有，愛情很可能會是最新的天路歷程。

二十世紀以前，愛情從來不曾這麼重要，更不曾那麼普
遍。到處存在著許多固定的社會角色，大家按照角色要求去生
活，就連夫妻間都沒有「經營愛情」的需要，愛情只是特定年
齡（通常是青少年）、特定身分（未婚）、特定階層（不是貴
族，也不是大戶人家子弟），才會有才需要有的特殊經驗。

然而二十世紀破壞了所有這些社會角色的天經地義。現在
每個人不管什麼年齡、什麼身分、什麼階層，都可以也都需要
談戀愛了。不再有任何東西任何事情可以讓任何人真正徹底對
愛情免疫。

婚姻的重要性縮水了，相對地戀愛的時間拉長了。婚姻也
許是這段愛情的墳墓，卻沒有絕對堵住下段愛情萌芽的可能。
離婚愈來愈普遍，換句話說，婚姻中與婚姻後的愛情關係愈來

愈複雜。

　　不再有任何制度任何誓言可以幫我們確認「愛的歸宿」，然而我們卻又愈來愈要求純粹的真愛。我們不斷尋找各種方式來檢驗手上、身邊的這段愛情是不是真愛。總和的結果就是每個人都在走一段極長極遠的、不知何時何處是終點的愛情的天路歷程。

　　十七世紀時，一心向上帝的班揚寫自傳時，甚至忘記記下他太太的名字；二十一世紀到處充斥的愛的歷程告白中，沒有人記得該提一提他信仰什麼上帝。

二十一世紀的流行工業帝國

二十世紀的最後一年，好萊塢推出的電影裡，最受歡迎最受矚目的，當推《神鬼戰士》。背景設在將近兩千年前的羅馬帝國鼎盛期，主角們被纏捲在怪異血腥的風俗遊戲裡，他們被當作是物一般地存在著，生命僅剩的目的與意義，就是到競技場上殺死別人或被別人殺死。

《神鬼戰士》能夠成功，當然不是偶然。它結合了許多「贏的因素」。「贏的因素」之一是一方面鋪陳了那麼多異時空的古怪因素，從羅馬皇帝、羅馬軍隊到羅馬競技場的狂歡，每一鏡頭都帶給現代觀眾快速而連續的新鮮刺激，讓你目眩神移找不到熟悉的定著點；然而，另一方面又大量運用「心理投射」的暗示，使觀眾認同角色的生存掙扎、道德兩難，換句話說，從一個固定的眼光來感受故事發展的喜怒哀樂。

不同的人對《神鬼戰士》會有不同的解讀。如果專注看《神鬼戰士》玩弄陌生與熟悉、神奇與平常的辯證手法的話，我們發現：其實《神鬼戰士》最像是對二十一世紀流行工業狀況的一則寓言。

為什麼這樣說呢？每一年都有對時裝對人體有特別敏銳專長的人，從世界各地萃取出一堆最特別、最具「表演性」身裁

的人，將他們送到模特兒業的訓練中心裡。在選擇過程裡，一個強調重點是，他們的身體最好帶有一眼就能感受到的異國情調。這些被選拔來的人在訓練中心裡重新形塑、化妝、打扮、改造，其中的最少數就被送到這個帝國的首都──巴黎、紐約、米蘭──去，在那裡，他們的任務，是以奇異的姿態穿上古怪的服裝，走上伸展台，讓所有人看見，激起他們一般日常生活裡找不到的新鮮欲望，將欲望與服裝衣飾連結在一起，讓大家在崇拜、欲求這些可望不可即的身體的同時，崇拜欲求可望且可即的衣裝、衣裝背後的設計師、品牌。

羅馬帝國存在著野蠻血腥的競技場文化，然而這並不表示羅馬人在街上就會看人便砍、眼紅就殺。出了競技場的羅馬人基本上還是文明規矩的。同樣的道理，二十一世紀我們會看到流行工業每年推出的時裝秀愈來愈怪、愈來愈變態，可是在巴黎、紐約、米蘭的街上，人們基本上還是穿著「正常」的服裝。

羅馬人在競技場裡感受到的，不只是暴力競爭，還有異國情調帶來的帝國廣袤感受。一個很重要、不可忽略的因素是，在競技場裡廝殺的，絕對不是看台上這些人的親朋鄰居，場上會真正受到注意的，都是來自帝國其他偏遠角落的人。他們膚色不一樣、體型不一樣、舉止行動不一樣，藉著看這麼不一樣的人都在我們羅馬搏命，羅馬人感受到帝國的尊崇與高貴。

同樣的道理，人們在時裝秀裡要看的不是真正可以穿在街上的服裝，而是一些激烈的風格宣言、一些誇張的怪異品味展示，愈激烈愈誇張，也就表示這個帝國愈能讓你和別人不一

樣，在街上凸顯出你，把其他人趕到背景去。其實真正不一樣
的是模特兒、是模特兒穿的衣服和穿衣服的方法，可是我們藉
著和模特兒分享同樣一個品牌、分享一點類似的設計語彙，我
們錯覺自己同時也分享了那份獨特、激烈、誇張的身體美學，
並沾沾滿足於這種錯覺。

　　換句話說，你可以還是穿著熟悉、安全的服裝，就能夠獲
得一種與眾不同的良好自我感覺。品牌、設計師及他們推出的
那些模特兒，是你的護衛、你的保證，讓你不至於在面貌形態
都類似的群眾裡被淹沒了自我形象。就如同當年坐在競技場裡
的羅馬人，不需冒險出城多走一里路，就能夠享受到帝國無遠
弗屆的統治快感一樣。

偶像消失了的二十一世紀

看到這個題目先別狐疑、先別質疑；偶像不是到處都有，而且每三個禮拜就冒出一個新的嗎？怎麼可能消失？

我要講的是，經歷了最近十幾二十年的變化，我們這個社會的偶像概念正在迅速改變中，舊有的偶像身分、偶像功能，會在很短時間內消失不見。

以前的人崇拜偶像，還帶有一種宗教色彩。偶像之所以成立，因為他（或她）跟我們是不一樣的。不只是比較好比較不好的這種差別，而是全完不在同一個層次、等級上的斷裂式性質存在。

換句話說，偶像，在那個時代，必須是一種超越性的存在。偶像身上有一種特質、要素，是我們永遠無法透過任何手段企及的，在我們與偶像之間，有著一道跳不過去的鴻溝。因為可見而不可即，所以才需要崇拜。

寬廣的鴻溝存在，也不會有人要嘗試去跳。舊式的偶像附帶著舊式的偶像崇拜方式。最核心最關鍵的概念之一，就是不斷尋找出偶像和我們不一樣的地方。追隨偶像的人會去模仿偶像，看他（她）剪什麼樣的頭髮、穿什麼樣的衣服，做什麼樣的表情，模仿是要讓自己趨近偶像，然而模仿的前提是偶像的

髮型、服飾、動作，如此不凡如此特殊，因此才興沖沖去複製，讓自己也沾染一點明星偶像的迷人丰采。追隨偶像的人也會想要知道關於偶像的消息，可是他們感興趣的是偶像最和一般普通凡人不相同的部分。

以前的偶像，必然與他（她）的崇拜者間存在著一段距離。不是說他們高高在上缺乏親和性，而是他們為了維持這種超越性，就一定不能讓自己被拉到凡人的境界裡來。在那樣的氣氛裡，一個影迷歌迷，是無法想像他所崇拜的明星，也要吃喝拉撒睡地過日子，也會露出挖鼻孔打呵欠醜態，睡覺時也會張嘴流口水的。

不是不能想像，毋寧是不願想像。他們的崇拜心態裡也就包括了選擇性認知，只看只承認明星偶像最美最特別的一面，以這一面來代表全體，誰要去窺看比較不美不特別的一面，他們會憤怒地誓死抗拒。

以前的偶像周圍，環繞著因應這種心態需要而產生的神話製造機制。想盡辦法張揚最好最特別的，掩藏最醜最普通的。以前的偶像就算在萬人空巷的擁擠場子裡，就算和他（她）的崇拜者看似沒有任何物理距離，其實他（她）都還是包裹在密不通風的神話光環裡，一切眼光只能在神話光環折射過後才能看到偶像。

現在一切都不同了。現在包圍著偶像的還是有一群負責製造神話的人，可是新增的還有活力充沛的狗仔隊。一邊拚命製造神話，一邊卻以同樣的認真程度在拆解神話。於是新時代明星的熱鬧焦點，變成了看神話製造者與神話拆除大隊間的永恆

角力鬥爭。

這種認知結構上的大變化，當然也就改變了偶像在我們生活中的位置。雖然還是有此起彼落的偶像生生不息，然而我們從一開頭就隨時明瞭他們的凡人性，我們也就轉而對他們凡人的一面、會欺騙會偷情會耍手段會鬧脾氣的那一面，興趣盎然。我們轉而尋找他們和我們都一樣的人性墮落特質。

這種狀態實在已經不能再稱為「崇拜」了。沒有「崇拜」，只有迷戀。而且迷戀不會久，因為一迷戀就同時去找人家最壞最平凡的一面，那一面一挖出來，我們也就立刻理直氣壯把明星丟進「過氣」的垃圾桶裡。

一個明星來了，一個明星又快快去了，沒有誰再能登上真正的「偶像」寶位，這是二十一世紀的新現實。

財產消失了的二十一世紀

看到這個標題先別緊張，我不是要預言目前的不景氣狀態還會持續下去，或是會發生經濟大恐慌，使得我們每個人手上的財產一直縮水一直縮水，終至消失不見。

不是這樣。我要講的是，我們對財產的擁有感、對財產形式的珍惜，在幾年內產生了重大的變化。我們現在在生活裡買的、用的東西愈來愈多，可是在這眾多物品中，仍然保有舊式、傳統意義的「財產」，卻快速減少。

什麼是舊式、傳統對「財產」的定義呢？「財產」是你會想盡辦法去維持的東西、財產是你覺得一旦失去你的生活就會大受影響會有失落感的東西、財產是你不只自己要一直留著還會想移交給你兒子你女兒的東西。

房子當然是財產，依然是重要財產、主要財產。可是在過去，除了房子以外，我們還有許多別的財產。媽媽存在保險櫃裡準備要傳給女兒的珠寶首飾是財產。爸爸開的車是財產。甚至家裡的電腦、電視、音響、冰箱都是財產，連手上戴的錶都是財產。

認定財產有幾個簡單的檢驗標準。一個標準是看這樣的東西有沒有人要偷。有人要偷表示具有高度的轉手價值。還記得

沒幾年前，我們漫畫裡標準的小偷形象不都是蒙著臉偷偷摸摸抱著電視的嗎？可是你現在去問問看，還有人家裡被闖空門，笨重電視被搬走的嗎？搬走的電視能拿到哪裡去，能換幾個錢？

還有一個標準是看你會不會把東西拿去修理。修理是為了延長財產的壽命，降低財產失落的衝擊。修理業曾經是台灣重要行業之一。修理鐘錶、修理電器、修理汽車，後來還冒發過修理電腦修理手機業務的繁榮。然而現在幾乎所有的修理業都在快速走下坡。

相較之下，美國人還比台灣人多有一點殘留的財產感情。在美國買電器用品，大部分的人都還會多花一筆錢買保證，以求心安。有意思的是，這些不管是兩年三年的保證，幾乎都用不到，成了電器製造商和零售業者最主要、最輕鬆的利潤來源。為什麼會這樣？因為現在的電器用品，一來很少壞掉，二來就算壞掉了，大家也寧願買台新的，反正價錢不高。

明明用不掉，還買保證，這就是舊財產觀念在作祟。明明已經不會麻煩去修東西了，還是忍不住要留一條修理的退路，這是美國人對電器用品的老式珍惜態度，也是在台灣已經幾乎找不到了的舊時代遺跡。

二十世紀後期的家戶財產，經歷兩次重大革命。一次是日本的興起，帶來對品質的講究。原來充斥市場上，外表美觀大方卻動不動就會故障的美國貨，被樸實無華卻堅固耐用的日本貨取代了，因此而使「修理」這個行業大受打擊。

第二波革命則是來自於電腦業的「十倍速」觀念。資訊產

業帶動下，所有的東西都快速翻新，並且帶來了前所未有的流行脈動。在流行的概念下，所有的東西都會過時，而所有過時的東西立刻就失去了價值。價值不再是內在於物品，而成了時間的函數，同樣東西在潮流中有一萬塊的價值，到了明天可以馬上一文不值。

「十倍速」變動配合上電子零件成本快速降低帶動的生產能量，還有普遍家戶可支配金額的增加，就造成了「用過即丟」的習慣。什麼都可以丟，什麼都可以換，那也就意謂著沒有什麼是值得珍惜的財產。

現在連汽車也開始講求三年一換了。再下來會有一天連房子都可以「用過就換」嗎？那我們身邊值得存留的財產還剩什麼？愛情、友情、親情嗎？

我不知道。

在二十一世紀消失了的菁英

從十九世紀進入二十世紀，貴族不見了。

雖然在像英國這種老牌帝國、又因緣際會莫名其妙保留了王室制度的社會裡，到今天還有極少數極少數的人帶有傳統的貴族心態。他們覺得自己的出身就證明了一切，他們看不起所有需要靠努力去得來的東西，不管是名或是利。他們更看不慣汲汲營營、孜孜矻矻奮鬥的人們，勤奮與野心都違反了貴族血統所保證的高貴與優雅。

不過這種人畢竟是極少數極少數。而且除了英國，這種人在其他地方幾乎都不再有任何能見度或影響力。即使在英國，他們的能見度與影響力還有一大部分是靠被小報嘲弄換來的。對沒落貴族來說最悲哀的是，他們之所以保留了貴族的風格，是因為一個再也不尊敬貴族的社會需要一些「怪人」、一些「可笑的名流」作為日常談興娛樂之資。沒有比這個更遠離貴族身分本意的了。

再看看其他地方吧。兩個原本擁有悠久帝國貴族傳統的國家——俄羅斯和中國，都經歷了最徹底的共產革命。這當然是物極必反的結果，共產黨最恨不平等、最恨階級差異、最恨貴族。在這兩個地方，貴族身分就不只會被嘲笑而已，還可以帶

來殺身之禍。又因為貴族身分是依靠出身取得的，所以貴族的「罪惡」也就禍延子孫。幾十年的革命下來，哪還能剩下什麼貴族「餘孽」呢？

當然，殺貴族羞辱貴族不是共產黨的專利。十八世紀末十九世紀初，法國大革命開了先例，進行了從國王、皇后以降的貴族大屠殺。所以法國這個老牌帝國同時也是個老牌貴族殺手，我們自然也不可能預期在法國找到多少貴族殘餘了。

本來稍有一點希望可以做貴族文化最後堡壘的，還有東方的日本。日本有萬世一系的天皇，更重要日本的現代化關鍵——明治維新，非但沒有毀壞了皇權，反而還抬高了皇權。可是明治維新中培養起來的強大實力，卻被用來發動了一場失敗的侵略戰爭。戰敗的代價之一是天皇制度名存實亡，天皇及其貴族世冑淪落為純粹的象徵。戰敗的另一個代價是日本戰後只能追求經濟成就，在經濟成長中社會快速世俗化，金錢價值抬頭，貴族價值當然就相應沒落了。

整個二十世紀中，最驚人的國家成就，首推美國。美國的興起，證明了民主與平等的優越性。美國從來不曾有過貴族，因而美國的成功是對貴族存在合法性另一記決定性的重擊。

二十世紀中，以身分定高下的貴族文化是沒落了、消失了。不過在貴族消失後遺留下來的空間，填補了一種標榜不是身分導向，而是能力導向與品味導向的菁英主義(elitism)。菁英主義成為二十世紀大多數社會組構的主流原則。

菁英主義的核心是一套標準、一套高下分野(distinction)。潛藏在社會裡還是有一種普遍的共識，認為什麼樣的生活比較

好，而且要取得比較好的生活必須通過某些試驗檢定。菁英主義不能只靠自認為菁英的人的自尊自大，還得靠周圍的人的比較、羨慕、嫉妒，以及努力想要和菁英平起平坐的心態，才有辦法撐持起來。

然而正如十九世紀穩固的貴族文化，到了二十世紀一夕崩潰一樣；進入二十一世紀，我們察覺到了菁英主義在全世界都岌岌可危了。二十世紀最後二十年蔓延開來的多元主義，是菁英主義的頭號大敵。多元文化論述必然帶來某種程度的相對主義，認為各種生活方式只有「種類上的差別」，沒有「高下差別」。然而沒有「高下」，就不會有「菁英」。

菁英標準、菁英心態、菁英文化，在多元主義的進攻下，節節敗退。沒有了菁英標準、菁英心態與菁英文化後的新社會，將是個什麼樣的社會？我們下次再聊吧。

二十一世紀台灣的民粹潮流

　　從字源學上探討，在希臘文原意中，「民主」(democracy)
並不是個正面的、好的字眼。希臘人的概念下，「民主」有兩
層意義。表面上的字義是「人民當家作主」，然而實質形式中，
「民主」指的卻是「煽動家」(demogogue)橫行的政治狀態。

　　希臘人為什麼會這樣看這樣想？因為他們的政治制度和他
們的思想價值間，存在著深刻的緊張關係。希臘城邦確實沒有
國王、沒有貴族，他們最早發展出將政治權力分散給所有成年
公民的制度，可是希臘城邦邦民卻並不是徹底平等價值的信
徒，相反地，他們思想底層有著濃厚的菁英色彩，只不過這菁
英不是世襲的、不是由血統來決定的。

　　希臘人的菁英主義使他們從嚴認定公民資格。不只是人數
龐大的奴隸永遠不能被接納為公民，有些犯了大錯的公民也隨
時可能被「褫奪公權」，甚至被從城邦裡趕走，到外面去流放。

　　希臘人的菁英主義還表現在他們將政治看作一種需要高度
智慧與密集訓練的專業。他們不信任真正由人民用平凡的判
斷、有限的知識來掌理公共事務。所以他們認為如果要徹底實
施「人民當家作主」的話，現實結果就是少數能言善道、混淆
是非黑白的煽動家們，就可以操弄大多數人、躲在「人民」後

面，實質成為決策者。如果那樣，希臘人認為，將會釀成大災難。

換句話說，希臘文原意裡的「民主」，比較接近今天我們帶貶義講的「民粹」。「民粹」背後也就是一套煽動、討好大多數人來換取權力與私利的運作。而煽動、討好，也就是取消菁英、取消專業。

二十世紀是個民主世紀，帶有菁英、專家色彩的民主，從歐美逐漸擴展到其他地方，建立為核心主流價值。可是二十一世紀，照目前的狀況看來，似乎正在從「民主」走向「民粹」；或者說希臘原文中帶有貶義的意涵，取代了菁英、專業的一面，變為新趨勢。

這種現象在台灣反映得尤其嚴重。台灣過去在威權籠罩下，對於文化對於人的價值，充滿了許多扭曲的歧視。歧視就代表了有比較高貴的文化比較高貴的人，以自封的高貴性來睥睨鄙視別人。威權及威權控制的國家合法暴力支撐住了這套歧視系統，因而導致想要對抗威權的人，也都得同時反抗這套歧視系統。

要如何反抗歧視？最常見的方法就是替自己找到另一套不同的高貴性，反過來睥睨鄙視威權體制裡擁有權力的人。所以威權時代，在心態上是菁英對抗，即使是最鼓吹平等與民主的人，他們依然自視為先知、前鋒。

而且在那個時代，有固定的菁英培育管道。在資源有限、競爭激烈的條件下，升學管道同時兼具了菁英培育的功能。大學生，不管是什麼科系，都清楚自己受到的特殊期許與尊重對

待。

解嚴以來的十幾年間，威權崩潰，連帶把菁英主義的原則基礎給拖垮了。再加上台灣本來就沒什麼獨立性的專業標準，再加上多元主義當道的世界性氣氛，於是台灣快速「超越前進」，在二十世紀西方式的「專家型民主」模式之前過門而不入，直奔後現代式、去中心化的「民粹型民主」了。

快速開放的結果，沒有菁英心態、沒有菁英權威，也沒有了菁英判別。大家一概平等，沒人比別人多一點知識權威，也沒人比別人多一分決定事務的能耐。於是「質」的概念完全解體，只留下「量」的多寡比較。

誰怕誰、誰都可以說話、誰都可以罵人，這種社會當然比舊威權管制舒服、輕鬆多了。不過這種社會，卻也有可能在完全不重視專家專業的情況下，為民粹式的煽動家創造太多投機機會，因而種下可怕的禍根。

沒禮貌的二十一世紀

我發現我的學生們還在讀珍‧奧斯汀的小說。有的人讀過《傲慢與偏見》、有的人因為李安拍的電影的關係而讀過《感性與理性》，還有人不曉得什麼樣的緣由碰巧讀到了《愛瑪姑娘》。

他們用各種方法來消化、解讀珍‧奧斯汀。然而在他們能想到的讀法裡，偏偏就是漏了當年我讀到的那個最重要的部分。

我回家翻出舊書來，當年教我明瞭珍‧奧斯汀的重要性的文章。有一位不只在台灣，甚至可能在美國現在都不太有人記得、有人提及的文學批評家叫崔林(Lionel Trilling)。四○年代、五○年代，崔林可是哥倫比亞大學最知名最權威的大教授，他寫的每篇評論文章都被學生當作經典仔細捧讀。

我記得我讀過他對維多利亞時代小說的精采總論。他說這些作品在呈現：「過一種道德生活所必須面對的矛盾、弔詭與危險。」他說這些作家都「一直在問、堅持在問一個優雅、有禮社會不准問的問題」。

我記得是這些概念引領我進入珍‧奧斯汀的小說世界。她筆下的人物都在和看不見的力量抗衡，這些力量如操縱傀儡的

絲線般控制著他們的生活，這些力量是道德約束、是禮貌要求、是優雅社會的規範。他們的痛苦、小說中的張力，都來自他們既無法擺脫這些力量，卻又忍不住想在這些力量的隙縫中去發展眞實自我、表達眞實自我。

崔林的這種道德解讀，我的學生們連想都想不到了，因爲他們根本無法理解什麼叫「優雅社會」。「優雅社會」有很多規定、很多限制，也就可能產生很多虛僞。「優雅社會」規定我們什麼樣的話，不管爲了什麼目的，就是不能說的。例如說不能公開講與性交、性器官有關的字眼；例如說不能隨便評論別人的容貌、別人的身體。「優雅社會」也限制我們很多事不能做。不能爲了自己的滿足而侵犯別人傷害別人，不能破壞了和別人之間的適當距離。

從一個角度看，「優雅社會」對個人自我有很大的壓抑甚至扭曲，難怪維多利亞時代的歐洲女性那麼容易歇斯底里；然而從另一個角度看，「優雅社會」強迫每個人縮小自我、體貼別人，卻也替生活保留了一些平靜平安與平和。

二十世紀都在強調自我開發與自我解放，自我不斷擴大的結果，到二十一世紀就是造成了不止是「優雅社會」的消失，就連「優雅社會」的概念也不見了。尤其是網際網路興盛造成社會進一步「匿名化」，躲藏在暗處不受監督的情況下，我們不再覺得需要去限制、規範自己的思考、言論甚至行爲。

台灣從來就不是個以禮貌著稱的地方。二十一世紀的台灣，我們只會變得更粗暴、更沒禮貌。西方社會花了幾百年建立的一套「優雅」標準，我們本來就只學到皮毛，這下子更是

土崩瓦解沒留什麼殘痕了。最沒禮貌的言詞時時刻刻在網路
上、電視上飛來飛去，從來不懂得替別人留點餘地；最不優雅
最粗俗的行為也是到處可見，不優雅、粗俗錯置成了天眞或眞
實。

　　這樣的環境，當然不會有人讀崔林了，事實上這樣的環境
裡，大概也愈來愈少人瞭解珍‧奧斯汀了吧。

人與語言文字日益疏離的二十一世紀

可以相當確定的一件事，現在的小孩愈來愈難喜歡《愛麗絲夢遊奇境》了，他們甚至愈來愈難讀懂這本一百多年來被奉為童話經典的重要作品。

雖然我們現在有了最新版本的《愛麗絲夢遊奇境》，海倫‧奧森貝里一九九九年的精妙插畫，配上了趙元任一九二一年寫的中文翻譯。印刷典雅、裝幀豪華，完全趕上了最炫的童話書出版潮流，一點也沒有十九世紀遺留下來的陳腐氣味。

然而正就是這樣時髦的包裝處理，讓人不可能再理解《愛麗絲夢遊奇境》是一本什麼樣的書，也讓人無法充分讚賞趙元任究竟做成了一件如何了不起的事。

《愛麗絲》的故事，其最根本處，是一場語言遊戲。路易斯‧凱洛玩的，從頭到尾，都是語言的變化。這個故事在一八六七年出版後，之所以受到那麼大的注意，之所以被崇奉為經典，正因為那個時代的人，還活在文字、語言的意識氣氛裡，他們明白語言的習慣、語言的成規，是多麼大的、淪肌浹髓式的限制。習慣與成規無所不在、無所不管，因此最難擺脫。路易斯‧凱洛是個淘氣的魔術師，他故意去鑽語言習慣與成規的漏洞，把語言顛三倒四捏來捏去，結果竟然還能說成一個大家

聽得懂的故事，而不是一團混亂的不知所云。

以前的小孩聽或讀《愛麗絲》的故事，得到的樂趣也是來自這種打破語言霸主權威的小叛逆。應該這樣說的不這樣說，應該在那裡的字跑到了別的地方去，聽懂了的歌謠全換上無厘頭的諧音字，這種惡作劇引來小孩們的共鳴哈哈大笑。

真的，所有的趣味，都是語言文字的。這樣一本書，原本是無法翻譯的，照理說應該是每一個語言文字系統裡，都出個人另外寫一本。可是趙元任卻神奇地把這個故事從英文譯成了中文，還保留了其中絕大部分的惡作劇，這才真正不簡單。不過我們不要忘了，趙元任的本行正是語言學，他對語言的習慣、成規有超乎常人的掌握與理解。

正因為這樣的背景，雖然被歸類為童話，雖然像一般童話一樣，有各式各樣稀奇古怪的角色，《愛麗絲》卻並不適合製作圖畫書，圖畫只能畫出形象，卻完全碰觸不到故事裡最神妙的語言遊戲。並不是說海倫·奧森貝里的插畫有什麼不好，不，正是插畫太精采了，就會把閱讀的方式導引離開了凱洛和趙元任真正的貢獻處。

這不能怪海倫·奧森貝里，要怪只能怪我們所在的二十一世紀。圖像影像的大量產製消費，使我們快速喪失與語言文字間的舊有親密、複雜關係。凱洛寫《愛麗絲》時，人與語言文字間的關係，還像是愛情，糾纏得緊緊的，有濃郁的喜怒哀樂，還有嫉妒甚至仇恨。覺得彼此依賴，有時卻又恨不能逃離令人窒息的不自由關係。到了二十一世紀，人和語言文字，變得只像是天天要見面、一起搭電梯一起倒垃圾的鄰居了。認

識、點頭、寒暄兩句,簡單、疏離。

　　這種變化,就是在二十世紀中發生的。而圖像影像的介入,正是使戀人轉成鄰人的主要力量。

　　現在的小孩,透過圖畫去讀《愛麗絲》,就像是一個從來沒談過戀愛、從來不知愛情為何物的人,撿到了一包熱戀情人間的情書一般,他就算勉強知道發生了什麼事,也必定無從感受其間真正的滋味的。

　　人與語言文字日益疏離的二十一世紀。

二十一世紀的時間管理

二十一世紀開頭的第一年，台灣在一片吵嚷爭議中開始實施兩周八十四小時的新工時制，同時公務機關、學校則開始全面周休二日。

從一個角度看，這真是新紀元的新曙光。雖然有那麼多政治上的曲折，長久沒修改的工時規定，畢竟是一下子有了大幅的縮短。拗口、難記又麻煩的「隔周休二日」的半吊子辦法也終於完成了過渡任務，回到歷史簿上去了。我們正式和歐美甚至是中國大陸看齊，獲得了更充裕的休閒時間。

工時不斷調降，的確是世界性的潮流。必須在工作崗位上被支配的時間減少，相對地就應該增加了自己可以支配運用的時間了。且慢！如果我們仔細觀察分析一下，在這種潮流下現代人新的時間管理問題的話，可能不會那麼天真樂觀。

工作以外多出來的時間，真的是我們自己的時間嗎？不一定吧。工時降低的同時，現代生活也愈變愈複雜，為了應付生活必要的運作，我們花上的時間也在增加中。

舉大家都有親身經歷的交通狀況為例吧。工作的區域化趨勢，使得每個人從居家到工作場所間的平均距離拉長了，必須要靠摩托車、汽車上路才能去上班上工的人不斷增多。更多的

人更多的車使道路更擁擠。距離遠、路況又擠,當然花掉的時間就愈來愈長。

不只這樣,惡化的路況還迫使我們開車騎車時付出更專心的注意。等我們下班回到家時,我們的身體疲憊、情緒暴躁,得經過更長的休息時間才能恢復正常。不只這樣,都市中心地帶的環境愈來愈不適合居住,為了享有同等的生活品質,我們只好遷居到更遠的郊區去。嘿,工時案爭來爭去,爭到的每周兩小時,根本就不夠用來塞車嘛!

再舉個更新、絕對屬於二十一世紀才有的時間管理困擾。那就是我們生活上所有的費率在短短的幾年內都變得複雜得不得了。電腦的廣泛運用,人類擁有了空前驚人的計算能力,本來我們以為可以把所有計算的工作都交給電腦,省事又省時。沒想到這樣龐大的計算能力落到資本家的手裡,竟然反而製造出又費事又費時的困擾來。

以前買賣東西,為了減少計算過程所需的成本,會傾向於讓標準簡單。打一通電話,打到哪裡打多久就應該是多少錢,不管誰打、什麼時候打都一樣。消費者清楚明白,電信公司也清楚明白。

現在就不是這樣。反正電腦可以進行再難再繁瑣的計算,廠商就樂得把費率弄得高深莫測,從中取得它們要的行銷空間。所以有不同的月租費、不同時段通話不同計費標準、不同公司受話對象不同計費標準、不同通話量不同計費標準,最後還有不同組合的套餐……

搞得你頭昏眼花。可是你還不能頭昏眼花,因為頭昏眼花

的話你就會變成冤大頭。要做一個花錢精明的現代人，你別無選擇，只能花時間去瞭解人家設計的收費迷宮，隨時衡量到底該選什麼套餐、養成什麼習慣打電話，才是最省最精明的。

不只電信費用如此煩人。幾乎所有東西的計價模式都在朝複雜化、混沌化的方向走。這就意味了，二十一世紀裡，你會有愈有愈多的時間花在為了讓自己有限金錢能發揮最大效果，而不得不作的無窮無盡的計算中。

我的二十一世紀噩夢

即將到來的二十一世紀，對我們這一代人而言，有可能很殘酷很可怕。我最近常常這樣想。

我發現周遭的友人們，甚至那些專門研究社會趨勢潮流的人，都還沒有準備好要面對下一世紀的殘酷，我們都在逃避某些其實愈來愈清楚的發展，繼續一廂情願作著玫瑰色的幻夢。

例如好多朋友想像自己可以在五十歲、甚至四十五歲就退休去享受生活，去實踐自由人的輕鬆愉快。這樣的期待不能說完全沒有道理，然而畢竟太天眞了些。

說「有道理」，是因爲如果我們相信歷史發展會照著原樣一直走下去。的確我們看到過去上一代、再上一代的人，他們在貧窮裡長年掙扎，他們以勤儉作爲生存的基本手段，他們一生幾乎就是無窮無盡的苦勞，沒有一點休息，沒有一點享受。幾十年來世代間的差異，就出現在愈後輩愈年輕的人，愈有條件有辦法擺脫這種苦勞命運。多賺了一點錢、多得到了一點休息、多懂了一點享受，一代代這樣遞變，退休年齡愈來愈早、工作壓力愈來愈小，所以到我們步入中年走向老年時，當然覺得可以有資格有意願又有餘裕「對自己好一點」。

大問題在：這種趨勢眞的會持續發展下去嗎？有太多證

據，太多被我們刻意忽略或曲解的證據，其實正在給我們否定的答案。

證據一，生育率在降低，人口中的年齡結構正在改變。台灣正在變形為一個「老年社會」。沒有足夠的年輕勞動力可以來支撐眾多的老人。

證據二，普遍工作性質正在朝「非勞動化」轉變。服務性工作、知識密集工作在就業市場上所占的比例大幅提升，換句話說，上班工作對體力的要求不斷下降。

證據三，生物科技（包括基因工程）快速進步，不只是壽命會延長，而且病痛對生活的衝擊影響，也會獲得更大的控制可能。

這三項證據加在一起，應該得出怎樣的推論結論？

我覺得最有可能就是推出我的殘酷二十一世紀噩夢。

到我們慢慢老去時，根本沒辦法依賴下一代來養活我們，不斷減少的勞動供給、不斷萎縮的經濟規模，使得再好的年金制度都無法維持。僅剩的解決辦法只有：延後退休、充分利用老年人力。

你說人老都老了，早沒有用了，能怎樣利用？嘿嘿，未來世界裡不需靠體力的工作、可以單憑腦力運作的工作多得是（已經九十歲還很活躍的管理大師杜拉克最喜歡強調這點），你以為你沒用了，對不起，人家不接受這樣的藉口。

你說可是老年人不只體弱，還有多病的問題，三天一小病、五天一大病，這種不穩定的人力多沒效率。嘿嘿，別忘了，老年醫學在需求刺激下，一定會長足進步，到時候每天塞

幾顆藥丸，你連生病的權利都沒有了，只好乖乖回到工作崗位上去。

我的噩夢就是，我們非但不會在五十歲就退休，反而得有心理準備被迫一直上班到七十五歲八十歲。更慘的是，七十五歲八十歲還在孜孜上班時，年輕時候想要好好享受生活的瑰麗夢幻，會回過頭來成為最大的諷刺、最痛的折磨。

這樣還不殘酷、不可怕嗎？

二十一世紀中逐漸褪色的「開刀威權」

在美國，一直到今天醫生與病人關係的最後最後一步，仍然是在病人逝世之後，醫生有義務詢問病人家屬：「要不要做遺體解剖？」

二十世紀是解剖、手術醫療的黃金年代。在醫生的概念裡，開刀是治療病人最好最直接的方法，開刀也是確知病人死因的唯一途徑。二十世紀美國與歐洲的醫療體制籠罩在「開刀威權」底下，不只是各科醫師身分結構中，動手開刀的一定地位最高收入最豐富，而且每一個醫師，不論他自己是否幫病人開刀，都會忠誠忠實地依據醫師手冊要求，努力勸死者家屬同意遺體進行解剖。

在「開刀權威」裡有個根深柢固的價值判斷：人死不能復生，可是人的死因如果追查清楚，能夠增加未死者的存活機會。在這樣的概念下，人存在於一連串的醫學進步連鎖中，你享受了前人大體解剖才獲得的寶貴醫學知識與技術，所以你也應該在死後相對付出對這套醫學知識與技術的貢獻。

二十世紀大部分的時候，美國與歐洲的死者家屬，都乖乖地接受囑咐，雖然明知大體解剖用鋸子、鑿子切開自己親人，然後掏空內臟交付化驗的作法很殘酷很恐怖，在為了增進後人

幸福的壓力下，通常不太敢拒絕。當然醫院方面也發展出制式的解剖作業程序，盡量顧及家屬的感受，總要讓遺體切開後，還能放回棺木裡留個基本原樣，所以例如說所有遺體雖然都會切開後顱骨取出大腦，然而窟窿留在後面，顏面部位一定不可以顯露出任何痕跡。

二十世紀中藉著大量遺體解剖，醫學知識的確快速累積、修正，遺體解剖還有一個好處是：從中收集來的資料讓醫生不至於太過驕傲自信。從一九三八年美國開始集中處理這些解剖資料，幾十年來從解剖中發現死因與原本診斷、治療方向不符合者，一直都保持在四成左右。而這四成「失手」案例中，其中又有三成（就是占總數的百分之十二左右）如果及早找對問題方向，其實病人是可以不死的！

這種數字逼得再大牌再權威的醫生都不得不承認：人類的身體真是複雜，其複雜性始終超過最先進醫學技術所能處理的。

最近有兩項發展值得特別注意。第一是晚近二十年，診斷的技術經歷了一連串突破，從胃鏡、腸鏡、超音波到電腦斷層掃描到核磁共振，這些新科技目標都在協助醫師探入看不到、摸不著的身體深處。然而儘管有這些新科技，死後解剖發現的診斷、治療錯誤，卻依然維持在四成的高水準。

另一項更值得探討的現象是，在美國與歐洲，同意讓親人在死後被解剖的比例，開始大量下滑。到二十世紀結束時，美國每年進行遺體解剖的案例，已經降到全部死亡人數的百分之十左右。

　　將這兩個現象對照來看，我們看到二十一世紀一個新的發展趨勢：那就是對「開刀威權」的不信任與另類挑戰出現了。如此號稱精密的儀器加上診療陣容，卻無法顯著提高醫生實際診療的準確度，讓愈來愈多人懷疑目前這套醫療體制有其先天上的局限性。

　　而愈來愈少人願意貢獻親人遺體來增進醫學技術，也說明了大家不再完全接受：累積更多個案就能夠提高未來人類存活機率的說法。即使在美國在歐洲，一個隱藏的聲音慢慢浮現，而且音量愈來愈高，這個聲音說：「不論生前死後，我不要再開刀了！」

　　不要開刀、挑戰「開刀威權」，那生病了怎麼辦？二十一世紀對這個問題正在思考一連串的新答案。

二十一世紀的新鮮身體

已經在醞釀當中，勢必會在二十一世紀挑戰舊西方醫學典範的，是一種新的「整全身體」的概念。

在原本的西方醫學典範中，有幾項基礎，到了二十世紀末期顯示出了霸權不穩的疲態。第一個基礎是將每個人的身體看作是某個普通的、原型的人體的複製、分化，換句話說，醫生雖然看你的身體、我的病，但他真正在做的是比對你我身體和那個原型人體，汲取對那個原型人體的瞭解來診斷、治療你我。所以在醫生眼裡，只有胃潰瘍，沒有「你的胃潰瘍」、「他的胃潰瘍」，所有胃潰瘍都是同樣的。更進一步，每個醫生對「你的胃潰瘍」、「他的胃潰瘍」診斷、治療的經驗，也要回歸到對那個普遍、原型人體的瞭解有幫助，才能形成醫學知識。

這個基本模型，在二十世紀後期被講究「差異」、講究「知識／權力」關係的學派，大加質疑撻伐。他們尖銳地指出：醫學建制裡想像的那個原型人體，和不同人之間有不同的距離，它並不是每個真實身體的公平代表。例如：在心臟病的研究知識裡，嚴重忽略了女性的特殊性，普遍的心臟病診斷、治療模式其實是依賴大量男性資料建立起來的，有許多對女性根本不適用，甚至是有問題有害的。在那個原型人體的建構上，又有

明確的種族偏差。特別是一些只有非歐美區域、弱勢人種才會
罹患的疾病，通常也就很難印刻在這個原型人體上。更嚴重的
還有年齡的差異，那麼重要的一個變數，竟然也在這套既有權
威上被忽略了。雖然特別有「小兒科」分出來、雖然「小兒科」
裡再細分嬰兒與幼兒的不同專門診治重點，不過只要超過十五
歲以上的男男女女，就被看成是一樣的，畢竟還是件奇怪的
事。十五歲的胃潰瘍和七十歲的胃潰瘍會是同樣的嗎？可是我
們都已經見怪不怪了。

　　如果依照這些新文化思潮的提醒，不同性別、不同種族、
不同年齡，甚至不同社會階層經驗的人，其實會有不同的身
體，那麼一路追究下去，我們只能得到一個結論：原型人體不
具任何實質意義，它只是某些不完整、不客觀的統計資料的聚
合，只是因為資料的數目龐大，我們就把絕對數字的巨額錯覺
成為完整性、普遍性的保證了。沒錯，現代醫學到目前累積的
病例已經是驚人的天文數字，可是還有多少地方、多少不同的
社會生活，是現代醫學迄今無法、甚至是不屑去觸及的？

　　更進一步，我們要瞭解，這些累積起來的龐大數量反而會
阻擾建立在其上的現代醫學去觸及個體事實。腦中眼前已經有
一個人體原型的醫生、研究者，他們會先入為主以這個人體原
型來套他眼前的具體真實病人。他們只能看到人體原型教他們
去看到的問題與現象。不符合這個原型的問題、現象，一來會
被忽略、視而不見，即使嚴重到無法假裝沒看到，二來也就會
被用已有的知識、已有的模式來加以解釋、加以處理。

　　在這樣的系統裡，那真的是「太陽底下沒有新鮮事」，因為

「沒有新鮮事」在龐大統計的推擠下，是前提也是結論。醫生根本沒有預期會在任何一個具體病人身上，看見新鮮特別的東西。

醫學體系裡自己有一個防止這種「沒有新鮮事」心態惡化成為惰性的機制。那就是給予能夠遇到、找到獨特稀有病例的人，崇高尊貴的地位，以及焦點注意力。可是這樣的機制，在愈來愈多定型化的統計數字前面，愈來愈疲弱無力了。到二十世紀末，要發現新病例跟要在世界上找到沒有人去過的新景點、沒有人記錄過的老文明一樣困難。

怎麼辦呢？只好學習旅行家、人類學家的經驗，回過頭來承認，新鮮事就在身邊，把每個病人看成一個獨特、唯一的身體，新鮮事就在那份獨一無二之中。

二十一世紀的生物科技

什麼是二十一世紀最熱門、最有前途、最有希望的產業？才不久之前，這個問題會得到的最普遍的答案是——網際網路。不過經過Nastag大崩盤震撼折騰，網路被和「泡沫」掛在一起，大大失去了作為新興產業的魅力，於是新的「標準答案」浮現了，那就是「生物科技」。

網路還會回來的，二十一世紀的生活世界裡，網路依然將扮演非常重要的角色，網路可供開發的空間尚有許多，等待著新一代的創意予以轉換為可交易可獲利的模式，這一點我深信不疑。不過在目前網路地位受挫的情況下，直接受利的是作為新興產業接班的生物科技。

網路熱推動下，創造了一股新的資本運作力量。這股力量極度重視新觀念新方法，不怕冒險願意支持向前衝的勇氣，而且這些資金不耐煩坐在家裡穩紮穩打「以時間換取獲利」，它們已經被網路訓練得相信：只要賭對了，有限資金可以快速無限倍增。

這股力量現在移轉到了生物科技背後去了，推得生物科技必然會在最近幾年大步前進。網路的發展其實主要靠想法、靠創意；生物科技除了想法、創意以外，還大幅依賴實驗。實驗

是高風險高耗費的行為，每個實驗都要花錢，從實驗室實驗器材到研究人員，而愈是尖端創新的實驗，失敗的機率就愈高。從這點上看，我們可以明瞭原本投資網路事業的熱錢，轉去生物科技領域，對生物科技發展有多麼關鍵。

我們可以老實不客氣的說：如果生物科技不能掌握這個時機，展現作為新興龍頭的威力，簡直是不可原諒的。因為這麼幸運的因緣際會，不可能再出現第二次了。

網路事業崩盤的時間點，剛好人類基因定序完成。這純粹是巧合。基因定序計畫原本預定的進度沒那麼快的，竟然在大環境各種優良條件配合下，順利提早宣布。這就給了世界媒體一個大肆宣傳生物科技多麼多麼有希望的具體話題。

我們不要忽略另一項對生物科技極度有利的背景。那就是一九九四年美國國會通過了「食品補充健康與教育法」。這個法案最大的意義，就是將「健康食品」解禁。在這條新法的掩護下，許多植物性、生物性的營養劑，可以用「健康食品」、「補充品」的名義上市，於是就不必經過美國聯邦食品藥物管理局（FDA）嚴格的藥品檢驗與管理。

短短幾年內，美國捲起了「食補食療」大風潮。到處爭相開起健康食品店，販賣各式各樣的藥草、各式各樣的濃縮營養藥丸。現在全美最熱門的商品中，包括了濃縮的大蒜精以及濃縮的人蔘精。

風潮影響不限於美國。歐洲人比美國人更易於接受這些和新世紀（New Age）運動精神相通、又帶有些東方神祕色彩的東西。風潮再回流到東方，大蒜、人蔘等傳統食補藥又以新面貌

刺激出了新商機。

　　千萬別小看這股趨勢。這股趨勢正在鬆動西方正統醫學的典範。FDA是西方正統醫學最重要的守門員，現在卻是開了一扇FDA管不到的後門，讓原本不爲西方正統醫學認可、接受的方式，進入到人類的健康意識裡。

　　這樣的過程，替生物科技開創了的空間，說不定還大過基因定序。一方面生物科技可以不再受傳統西方醫學的綁束，更自由地去發揮想像力；另一方面生物科技可以循著這個新結構的暗示，到非西方的傳統裡，找尋豐富的資源。

　　生物科技的未來，一半在基因工程；然而我們別忘了，還有另外一半在以科學實驗過濾、檢查非西方的傳統民俗療法。而後者，可能正是像台灣這樣的社會可以取得競爭優勢的特別領域。

二十一世紀生物科技的兩條路線

二十世紀的最後一年，原本氣勢如虹的網路事業受到了重挫，大家本來已經準備好要藉網路來將全球經濟推入新世紀新階段的想法，只好暫時放一放。可是對新世紀應該有新興龍頭產業的預期心理實在是太高，在網路頓挫之後，這種預期心理讓大家紛紛尋找下一個候選人。

剛好也是在二十世紀的最後一年，人類基因圖譜定序的工作有了初步的成果，於是找來找去，生物科技被找出來取代網路，成為新趨勢新流行。

不過正因為這波熱潮，和基因定序的龐大跨國工程掛得太緊密，很容易讓我們偏向於只注意、只看到生物科技在二十一世紀發展的一支，而忽略了同樣具有潛力、甚至更具潛力的另一支。

目前在「生物科技」的統稱下，其實有兩套前提、程序、結論都截然不同的典範。一套是順著過去西方醫學的老路，以分析、切割為準則，相信靠著把事物分割到最小的部分，一一研究清楚，就可以找出最終最有效的解決辦法來。

基因定序是這種精神的極致顛峰。在生命現象上，基因和物理現象裡的原子一般重要、關鍵，拆解至不可分割之最小單

位，再研究明白這些最小單位彼此如何互動的模式，就能夠提供一個完整身體運作的「標準流程圖」或「正常流程圖」，而疾病就是異常，舉異常比對正常，找出差別的原因，也就找到了使異常歸復正常的辦法。

不過這種分析、切割的概念，受到愈來愈多的質疑。一個質疑是：如果把人的生命現象與活動，切割成上億個單元，這上億個單位間可能產生的互動情況，動輒上兆上千兆，不只是要靠這種方法拼湊「標準流程」的動態模型遙遙無期，就算真有成功一日，其複雜程度勢必遠超過任何醫生在實際臨床上可以運用的範圍，甚至也會超出藥廠製藥所能控制的變數範圍。這樣作法，恐怕是治絲益棼，也許有科學上、統計上的意義，卻不見得真能救人、真能創造商機。

另一個質疑是：人的生命活動只有一套模式嗎？這麼多基因間所組成的龐大因果連環，可能用一套或幾套有限數量的模型來予以掌握嗎？有沒有可能每個人的身體自成一套基因連鎖，無窮多的因素都會讓Ａ的基因動態運作不同於Ｂ，我們要怎樣才能有信心地整理、發展出放諸四海皆準的標準模型呢？

在這樣質疑概念中，出現了生物科技的第二條路。那就是將每個人視為一個獨特的「整全身體」，疾病的發生、診斷與治療，必須在這個獨特的身體環境脈絡下，才能得到正確的掌握。換句話說，醫療重點不在切割，而在整合，在尊重、學習每個身體不同的系統。它的追求重點就不是找到每個身體的共同模型，而是如何理解、如何運用每個整全身體的特殊唯一性。

　　這種反其道而行的思考，其實不是新東西。在漢醫、藏醫的系統裡，已經應用了好幾千年。隨著藏傳佛教在全世界捲起流行風潮，隨著二十一世紀中國的經濟勢力進一步膨脹擴張，漢醫、藏醫的不同方式也就逐漸升起，挑戰西方醫學的老霸權。

　　漢醫、藏醫當然有它們的缺點。在講求獨特性的同時，漢醫、藏醫的系統化工作就沒什麼發展，於是留了很大的「容錯空間」，再加上沒有嚴謹檢驗、考核制度，這種「容錯空間」裡就進一步藏污納垢，滋生了許多郎中術士、許多浮華無根的奇技淫巧。

　　二十一世紀生物科技的一個大潛力，就在替漢醫、藏醫的這種概念，賦予嚴格嚴謹、可以贏得信任與尊重的系統化保障。能夠找到保留漢醫藏醫傳統醫方精神，又能提出基本安全、科學保障的方法，其中創造出的商機，說不定還會大過基因定序帶來的利益。

等待二十一世紀的新聞革命

二十世紀的最後幾年，我們目睹了一場成功的革命，徹底改變了人與新聞之間的關係。

這場革命的主角是特納（Ted Turner）和他創造的CNN，而發動革命的基本概念非常簡單──成立一個二十四小時播新聞的專業有線頻道。

才短短幾年內，全世界各地都已經有了二十四小時的專業新聞台，所以我們已經很難想像，當年CNN和特納受到什麼樣質疑甚至是嘲諷的眼光。質疑、嘲諷的人抱持的概念很清楚，其實也蠻難反駁的，那就是：哪來那麼多新聞好播？就算有那麼多新聞，哪有人有那麼大的胃口，願意看這麼多新聞？

在當時的環境裡，質疑、嘲諷者看起來似乎比較有道理。的確很難想像CNN要如何說服平常滿足於一天看半小時、一小時新聞的人，一下子增加幾十倍的需求。需求不增加，又要如何找來足夠的資金、商機支持二十四小時新聞網的製播供給成本呢？

一直到發生了九○年的波灣戰爭。原本不把CNN看在眼裡的美國三大電視網，突然發現自己處於極不利的競爭劣勢。他們才理解到，真正的變化不是供給與需求的量，而是CNN取得

了隨時隨地都可以播新聞的這個決定性、質上的大優勢。

　　戰爭隨時都可能發生變化，然而誰也說不準什麼時候會發生。以前的人只能在特定時間接收經過整理的消息，例如早上看日報、下午看晚報、晚餐時間看電視新聞，現在CNN的觀眾卻隨時可以同步和在科威特的記者一起守候現場的狀況。

　　新聞的臨場感，跳過了記者的轉介，直接送到每個人眼前，這才是最根本的改變。第一時間的現場呈現，於是成了新聞最新的形式，觀眾可以不必再等待，於是每當有大事發生時，他們也就不再願意等待。

　　這種革命後的即時新聞威力，在美國又經過了辛普森案的進一步確定。辛普森殺妻命案偵查審判，從頭到尾都在觀眾同步監看下發展。陪審團判決宣判的那天，全美國幾乎陷入半癱瘓狀態。全美長途電話瞬間少了百分之五十八。這段時間內因為比較少人去上廁所而使得用水量大幅減少。華爾街股市交易量萎縮百分之四十一。據統計，那幾個小時內，全美生產力上的總損失達四億八千萬美金之譜。大家都在幹什麼？都守在電視機前面看轉播！

　　不是沒有人冷靜地問：真的有必要大家都在那個時候知道判決結果嗎？難道不能等到午間休息時再看電視、聽廣播嗎？不能到下班以後才看晚報嗎？晚幾個小時才得知辛普森有罪沒罪，到底對誰有切身的影響？

　　重點是：大家已經養成習慣了，有重大事件時，一秒都不能等。這就是CNN革命真正的效果。

　　進入二十一世紀，許多人預期網路會帶來下一個新聞革

命。因為比起帶動前一個革命的電視，網路擁有更大的潛力。網路不只是二十四小時服務，而且沒有空間限制，還可以由個人選擇新聞順序與新聞重點。網路還有雙向的互動機制，更重要的，網路可以建構無所不包的多媒體平台，當然比電視更豐富更熱鬧。

不過由網路帶動的新聞革命，開頭雷聲很大，迄今卻還沒看到真正的傾盆大雨。一方面是網路本身的經營模式在過度樂觀的情況下，一直沒辦法建立起自主獲利的制度，連帶拖慢了網路新聞媒體的發展；另一方面大概也是因為還沒遇到網路新聞上的「波灣戰爭」吧！

什麼樣的新聞事件，會成為促使網路新聞媒體革命成功的「波灣戰爭」呢？這倒是一個很有趣的思考與聊天話題咧！

二十一世紀的媒體力量

二十世紀的最後一年，年尾的最後一場重要選舉，爲了要選出二十一世紀第一個領導美國的總統，最後卻幾乎以鬧劇收場。

會演變成鬧劇，有很多因素、有很多不同的角色。特別令人莞爾的，是在這個舞台上時空錯亂的交雜。現實裡的小布希和高爾是主角，然而在主角身邊始終陰魂不散的是十八世紀美國革命時期的建國大老們，他們兩百多年前設計的選舉人團制困惑困擾困侷了現實裡的主角。更可怕的是搶在小布希和高爾這兩位主角前面比手畫腳、張牙舞爪的，還有媒體。媒體，這個在二十世紀快速成長的力量，已經不願再把自己範限在舞台邊忠實觀察、記錄的位置了，他們跳上台去，就算擋住了、阻礙了主角的演出，他們也不在乎了。

歡迎來到二十一世紀。

大家印象比較深刻的是十一月八日選舉日深夜到十一月九日凌晨，美國媒體爲了搶先報導結果，發生的連番錯誤。一下子宣布高爾拿下佛羅里達州，一下子又恭喜小布希當選總統，一下子又把前面的報導全部推翻。在這漫長的過程中，連帶搞得政治人物也暈頭轉向，發生了高爾先去電向小布希認輸表示

風度，隨後又立刻打一通電話取消前一通電話風度的糗事。

　　媒體的介入、影響，其實不只這樣。還有更直接的。例如說到了十一月二十九日感恩節前夕，一個關鍵選區邁阿密戴德郡準備要重檢選票。在該區機器驗票時，一共驗出了一萬零七百五十張廢票，大家認為這些廢票中應該有很多只是打孔不夠確實，如果用人工驗票就可以清楚知道選民到底想要投票給誰。重新驗票的第一個動作，要將所有六十五萬張選票送進機器裡再過濾一次，找出那一萬多張廢票來。

　　沒想到這個簡單的程序，引來麻煩、無法解決的問題。因為放置機器的地方沒有空間可以容納媒體記者和攝影機。消息一傳出，媒體工作人員群情激憤。他們一面集體向負責單位嚴重抗議，一面基於自己的報社、電台利益杯葛協調安排。每個人都要得到第一手畫面、聲音，每個人都不接受共享新聞資源。

　　《華爾街日報》的記者甚至在最短時間內，找了十幾個同業簽署了一份聲明，要求機器重檢必須讓媒體自由、充分報導，否則「我們大家法庭上見！」

　　媒體要告選務機關，在這次選舉鬧劇中不是新鮮事。邁阿密當地的報紙不只威脅，而且還真的告了，告訴的內容竟然是要求郡政府把選票交出來，讓媒體來安排重驗。

　　回到十一月二十九日的混亂。機器沒辦法在短時間內移到更大的空間。第二天就要放感恩節長假了。州最高法院給的重新驗票期限放完假就截止了。在這種狀況下，邁阿密戴德郡只好放棄重新驗票。

　　新聞媒體成了可能決定重大事件結果的不可測變數。這在
二十世紀的新聞學裡，是專業大忌。然而我們幾乎可以預見，
二十一世紀裡，這種情況會成為常態。

　　問題是，新聞媒體本身卻往往還躲在「旁觀者」的舊身分
裡逃避責任。他們並沒有因為自己變成主角之一，而開始調整
得比較謹慎比較小心一點。新的角色新的權力產生了，舊的專
業規範卻還來不及改變，這才是可怕、讓人擔心的地方。

經歷性解放衝擊後的二十一世紀家庭

　　一九六〇年，美國聯邦食品藥物管理局（FDA）通過一種新藥的檢驗，當時一位著名的作家、思想家蒙塔古（Ashley Montagu），形容這種新藥的重要程度，和「人類發現如何使用火」是同一個等級的。蒙塔古認為這種新藥可以「讓人類再人文化」，因為這藥會「終結男人以侵略、剝削的方式對待女性的態度」。

　　這種新藥就是口服避孕藥。口服避孕藥當然沒有像蒙塔古說的那樣使人類再人文化，甚至這藥剛上市時所引發的效應，讓很多人害怕人類文明的成果將會毀於一旦；不過蒙塔古至少說對了一件事，避孕藥發明上市產生的衝擊，是全面性的、歷史性的，其影響到四十年後的今天我們仍然無法充分、準確地衡量。

　　一九六〇年避孕藥上市後，首先啟動了美國「性解放」的狂潮。避孕藥使得性行為和生育得以完全脫鉤，人類有史以來第一次得到充分探索性的感受與意義的機會。從生物社會學的角度來看，性之所以帶來這麼強烈的狂喜與娛悅，是因為人類複雜的進化結構使得幼兒對父母的依賴既深且久，生育養大一個孩子的工作艱辛困苦，所以才必須讓性的誘惑放至最大，要

不然和性的後果、責任相比，人類很可能失去對生殖的興趣，那麼這種高等基因就會滅絕。

換句話說，我們享受全生物界最強烈的感官喜樂，是因為我們同時必須負擔全生物界最辛苦的養兒育女工作。這樣一種生物性的平衡安排，完全被避孕藥給打破了。

從此之後，可以躲掉最苦的，繼續享受最樂的。難怪性的風潮會來得那麼樣凶猛。在其過程中摧毀了許多舊制度舊機制，也塑造了許多新現象新力量。

受到最嚴重毀壞的當然是家庭制度。最令人矚目的新興現象當然是資本邏輯下的性產業快速成長茁壯，變成了現代社會建制中的龐大商業利益來源。

讓我們先談家庭吧。家庭的存在本來就是和辛苦、漫長的養育工作密不可分的。人類的競存靠的是智力上的優勢，可是比其他生物高等的智力雖然與生俱來，不過要到能派上用場，就得花時間讓精密、脆弱的腦細胞慢慢成長，還得花更多時間透過學習填充所需的知識。

這樣的過程，如果只靠女性的力量，一定沒有辦法完成。因而有了普遍的家庭制度，把男人綁在小孩身邊貢獻力量，也才發展出了家戶分工、兩性角色的社會建構，乃至有文明與權力的種種安排。

避孕藥改變了最根本的生物基礎，當然就衝擊建立在這個生物基礎上的所有機構。性解放一方面打破了過去家戶作為合法性交場所的功能，使得千百年來靠婚姻與家庭維持的性資源相對公平安排打破了，每個人──最先是每個男人，後來女人

也加入了——因為不同條件，所能掌握的性資源多寡落差愈來愈大；另一方面也使得家庭過去基於養兒育女需要而強力營造為真理的分工原則，遭到了質疑乃至唾棄。

一九八○年代後期，愛滋病帶來的恐慌，大大減弱了性解放的力道。也是在那個時代，美國重新吹起「家庭價值」的流行風。不過性解放退潮，被性解放沖垮了的家庭卻不可能再維持原貌了。

新的「家庭價值」其實是建立在人們還是覺得有限、固定性伴侶是必須的，這一點共識上。可是這一點共識的強度，跟過去維繫家庭的眾多條件相比，實在是薄弱得多了。二十一世紀一開頭，全世界各個社會所面臨的重大課題之一，就是如何在這種新前提上，重新定位重新思考家庭的性質與意義。

二十一世紀混沌的婚姻狀況

「混沌(chaos)的定義並不是混亂無序,而是所有的秩序所有的形式,在最短的時間內就被打破、就被驅離。混沌是一塊空洞的空間,裡面並非一無所有,而是充滿了虛擬的事物。一切可能存在的分子、一切可能存在的形式都在其中,方生方死、方起方滅,沒有任何一致性、沒有任何交互指涉,也沒有連鎖反應。混沌是一連串極快速的生與滅。哲學的任務是去探問,如何在這種極速變化中,透過賦予一種特別針對虛擬狀態的知識,增進一致性。」

這是法國當代思想家Gilles Deleuze和Felix Guattari試圖重新定位哲學任務的一段名言。對許多不熟悉當代哲學、混沌理論的人而言,這段話看起來可能蠻虛幻、蠻空洞的,然而我卻覺得他們捕捉到了二十一世紀的某種精神。

思想史家Franklin Baumer最大的貢獻,是在巨著《現代歐洲思想》中,明白提示了三百五十年以來歐洲思想變化的一個主軸,從對「恆常的存在性質」(Being)的追求,逐漸轉變而為對「變化變遷」(Becoming)的執著著迷。Baumer的書只寫到一九五〇年的西方思想,不過很明顯地,他指出的潮流方向,在二十世紀後期直到進入二十一世紀,持續發展、甚至變本加厲。到

八〇年代後期，物理學上的混沌理論突然紅遍半邊天，先是從原本的理論圈圈裡竄到實驗室，助成了Fuzzi邏輯在一般家電、電腦上的運用，繼而甚至遠離開科學領域，大舉入侵人文論述中。

混沌，正如Deleuze和Guattari描述的，是變化的終極狀態。在變化與變化間，不再有任何相對穩定的階段，此次變化到下次變化，測量不出時間差距，因為無從測量，因為測量距離單位是無限小。換句話說，在混沌中，唯一恆常不變的只剩下永不停息的變化，此一現象而已。

混沌當然是個極端的狀態，引進混沌概念，是為了給我們新的視野、新的量尺來看待既存的世界運作。提醒我們不要忽略了不斷加快速度中的變化帶給我們生命感受的巨大衝擊。

受到最大衝擊的，當然是一切過去被視為應該最穩定的社會機制。例如家庭、例如婚姻。這些機制正因為傳統概念裡認為應該負起提供穩定作用的責任，所以它們一方面不能像流行歌曲、當季服飾或好萊塢電影，理直氣壯地說變就變、一變再變；可是另一方面它們實在又無法自外於那麼強大的求變動力，相加夾擠的結果，就是使得這些機制必須不斷尋找新規範新秩序新形式，盡力塑造這些規範秩序與形式可以就此穩定的假象，然而又在假象破裂後，匆忙再找新的一套辦法。

一再反覆的形式的建立與形式的否定。而且每一次形式的建立到形式的否定，都充滿了真實的掙扎、對抗與痛苦。這種過程，這樣的一個空洞然而又充滿虛擬形式的空間，不正最接近Deleuze和Guattari所形容的混沌嗎？

二十一世紀至少在婚姻與家庭的運作上，顯然還會延續這種混沌的主題。從愛情關係到家庭組成，幾十年內大概還沒有人能夠徹底打破其內在要求的穩定性與安全感，然而在如何保障婚姻、家庭的穩定性、如何激發其中的安全感，我們面對的難題不是找不到答案，而是存在著太多太多的答案，不只多，而且不斷在增殖衍生的眾多答案。

以前基本上只有一個答案、一種方式。所以也許充滿不公不義，但婚姻可以維持、家庭能夠運作。現在有了千千百百種答案，每個人所接受的所信仰的都不一樣了，不只是不同答案間會有衝突，即使是外表看起來一致的答案，也會因與外界其他因素互薰互染而快速變質。在同種叫作婚姻的這個東西裡，其實存在著無數多不同的語言。

二十一世紀的親子關係

　　二十世紀這一百年中，我們對於兒童是什麼，以及兒童怎樣長成大人的過程，有了很不一樣的理解。隨便舉個例說吧，我們現在經常使用、已經變成日常通行辭彙的「青少年」，就不是十九世紀的人會有的概念。「青少年」這樣一個特殊階級的出現，認真追索的話，可以清楚看出教育理念的重大變化。

　　再隨便舉個例子說吧，我們現在有了「學前教育」，指的是小孩在正式到學校上學接受制式指導訓練之前，也應該要受教育。隱身在「學前教育」背後的，一來是我們對小孩成長的一種「整全概念」，強調小孩每日每月都在學習，所以都必須要重視要教。二來是我們社會在下一代身上投注愈來愈多注意力與資源的事實。

　　二十世紀對兒童經驗的重視，有時候甚至到了走火入魔的地步。佛洛伊德開啓其端的精神分析理論塑造了一種形象：我們每個人的人格裡都積滿了許多幼時創傷（trauma）記憶被壓抑後產生的張力，逼得我們夜裡噩夢連連，更逼得少數人個性嚴重扭曲。

　　於是在像美國那樣的社會，每個成年人遇到了壓力挫折就去找心理醫生，心理醫生就診斷，不，就建議你兒童時期曾有

什麼樣的受虐或驚嚇經驗，是你今天所有問題的源頭。經過
「深度治療」，突然每個人家裡都有了一個有暴力傾向的父親，
要不然就有一個亂倫或不倫的母親。

不過撇開這種比較極端的發展不說，這百年經驗畢竟還是
累積了許多寶貴的知識，讓我們對自己對社會增加了不少認
識。我們現在對於家戶內的兩性關係，有了十九世紀人無法想
像的洞見；我們也對於親子互動與社會人際間的影響，有了十
九世紀人不可能擁有的敏感。

在暴力家庭裡長大的小孩，未來很容易傾向養成以暴力解
決問題的習慣。和父母親間少有身體親密接觸的小孩，長大後
個性裡會有一個嚴重缺乏安全感的黑洞，使得他或許太過於冷
漠孤僻，或許太過於耽溺依賴。在父母親身上得不到親情滿足
的小孩，容易在周遭尋找父親或母親替代者的投射移情，然而
不管找到的是老師或螢幕偶像，畢竟不是父母親，他們投射的
預期註定落空轉成嚴重挫折。

這些都已經是我們生活常識的一部分了。不過諷刺的是，
二十世紀提供我們這麼豐富的理論、知識，然而現實上卻沒有
辦法讓我們真正按照這套知識指出的正確方法來養育小孩。

最近我常常在想：台灣二十一世紀中長大的第一代，很不
幸的，恐怕是和父母親關係疏遠的一代。他們獲得很不錯的物
質待遇，他們的父母親也不太訴諸打罵來施加嚴格紀律，然而
問題是：父母親很少有時間真正將他們帶大。

雙薪家庭成為社會共識下的慣例，於是實際帶大這一代小
孩的，會是祖父母、外祖父母或者菲傭、印尼傭。而且這中間

還有一道貧富階級分野，收入較低的依靠老人人力，收入較高的則交託給外籍幫傭。

如果按照二十世紀樹立的成長心理學理論，由祖父母、菲傭帶大的經驗，會在這一代小孩個性上留下深刻無可磨滅的印痕。只是我們現在還不清楚，也還沒認真思考，這些印痕會呈現怎樣的面貌。

如此長大的小孩，很早就必須面對與所依賴的人永久別離的痛苦。也許是菲傭奶媽要回國，也許是祖父母的老殘死亡。如此長大的小孩很早就接觸到不同價值系統的衝突。也許是菲律賓與台灣之間的文化差異，也許是兩代之間的概念分歧。類似這樣的記憶，長大後會在他們心中化成什麼樣的陰影，還是什麼樣的力量呢？

如此長大的小孩，掌握了社會權力後，他們又會去建立起一個什麼樣的社會呢？

我們應該開始好奇探求這些問題的答案了吧！

夢進二十一世紀

朱天心在她的小說〈夢一途〉開頭就這樣寫：

小說家開始寫夢，一定是江郎才盡、日暮途窮之時。
一直你這麼相信。

的確，夢就像傳統畫論裡面提的「鬼」一樣，因為沒有像不像的技術紀律問題，人人都可以畫都可以隨心描述，所以很容易變成江郎才盡時的逃逸捷徑。

另一個理由，讓夢如此不值錢、如此不堪，則是因為二十世紀的文學、藝術作品裡，實在充滿了太多的夢。

說二十世紀是「夢的世紀」，不算誇張。二十世紀開端時，最具影響潛力的書，正是一九○○年出版的《夢的解析》。佛洛伊德關於人類潛意識的理論，有很多觸及到當時的社會禁忌；他陳述理論的方式，在科學主義潮流的籠罩下，帶有許多不容易親近的術語、複雜的推論，如果沒有《夢的解析》，沒有挑出和每個人日常如此密切關係的題材，佛洛伊德還會不會那麼重要，真的很難說。

佛洛伊德紅了，連帶地夢也就翻身了。從原本無關緊要的

混亂意象，變成了蘊含每個人「真實自我」潛意識訊息的符碼。從夢我們才窺見到一點點被壓抑的過去經驗、對未來禁忌欲望的吉光片羽。

二十世紀的文化經驗裡，從此生出許多有趣的矛盾來。原本是潛意識的隱晦訊息，現在開始被提到顯意識的層次來大談特談。原本是比隱私更深層更自我的虛實錯雜空間，被用公眾的形式披露、分析。

在這樣的矛盾裡，藝術家試圖找到突圍的路。在《夢的解析》與精神分析的引誘下，藝術被賦予了表達「公開的夢」的新任務。不論是文學、繪畫、音樂或電影，大家紛紛向夢的領域進襲。

夢的全面洗禮，在達利所屬的「超現實主義」運動中，到達最高點。「超現實主義」希望「以純粹心理的自動書寫來表現思想的真實過程，去除掉理性的干預，也沒有任何美學或道德的目的」。換句話說，就是將夢傳抄到畫布上。夢是比現實還更真實的「超現實」。

超現實主義在西班牙搞得最是有聲有色。除了達利以外，還出了米羅(Joan Miro)，還出了知名的電影導演布紐爾(Luis Bunuel)。一九二九年，二十九歲的布紐爾和二十五歲的達利還聯手在巴黎拍了一部電影《Un Chien Andalou》，電影裡面有一個鏡頭是一把銳利的剃刀，沒有理由也沒有預警地，突然劃過一隻近距離大特寫的眼珠，驚嚇了許多看過這部電影的觀眾，在影史上久久傳誦。

「超現實主義」熱鬧歸熱鬧，卻沒有能夠維持太久，可能就

是因為夢被這樣反覆放在聚光燈下，就失水乾燥不再新鮮有力了吧。過多的夢，過多對夢的侵擾，結果是夢慢慢失去了佛洛伊德剛發現它時的那種詭譎恐怖的蘊含，夢也變得庸俗化了。

雖然我們還是繼續在我們的床上枕上作夢，然而其實我們已經被剝奪了從夢中汲取不管是自我理解或刺激想像的許多機會了。我們在二十一世紀能作的夢，都是受過污染的夢。我們知道了太多夢如何運作——如何隱瞞又如何洩密——的解釋，我們讀到聽到看到太多別人真正的或創造虛構出來的夢，這些訊息都沉積在我們的潛意識裡，和原本屬於素樸壓抑的部分，全混在一起了。

夢原來多麼有趣、多麼刺激，現在卻看起來像是沒什麼本事的江湖郎中手上破舊的道具。夢進二十一世紀，滋味是苦淡的。

二十一世紀的顛覆空間

　　我的朋友們對李安的《臥虎藏龍》有著不同的看法。有趣的是，幾乎以我的年齡作分界，年紀比我小的都對這部電影拍手叫好，大為欣賞；年紀比我大的則比較保留，甚至不少人表現出「真的有那麼好？」的質疑態度。

　　我比較倒楣一點，我是在聽過各方各種意見之後，才真正看到這部電影。之前聽的各方各種意見不斷干擾我的判斷，我說不準說不清楚到底喜不喜歡這部電影。

　　不過看電影時，我倒是一直在思考，而且領悟出了一個道理。我這個年紀（一九六三年出生）的人，是最後一代迷武俠片長大的台灣小孩。我們看過胡金銓的《龍門客棧》、胡金銓的《俠女》，也看過王羽、張徹的武打片，趕上過楚原從《流星・蝴蝶・劍》開始掀起的大風潮。我應該強調，那是還沒有史匹柏沒有《星際大戰》的年代，武俠片是我們當時能夠接觸到的影像極致。

　　換句話說，武俠片是我們的視聽影音啟蒙突破。看過武俠片之後，幾天之內眼前都是俠士劍光、高來高去的精妙招數。這些影像進入我們的生命裡，成了一種印記、一種執迷，甚至一種不容侵犯的聖殿。

有這種經驗的人，和看《東邪西毒》、《新龍門客棧》長大的人，很不一樣。《新龍門客棧》只是諸多影音刺激中短暫的另一波新鮮浪頭罷了，看過熱鬧過也就忘了。

所以年紀比我大的人（當然也包括那個被Ｋ得滿頭包的教育部長曾志朗），他們對《臥虎藏龍》不滿意，因爲他們拿《臥虎藏龍》與他們記憶中想像中的武俠經典片相比較，油然生出「這有什麼了不起」的不平之鳴。

不是李安拍得不好，而是現代作品不可能和懷舊印象競爭。不是李安拍得不好，而是他獲得國際上的大讚賞大肯定，而我們懷舊想像中的武俠經典片卻沒能得到這樣的待遇，於是我們就用貶抑《臥虎藏龍》來抒發對那些武俠經典片生不逢時的感慨。

胡金銓、李翰祥、楚原的武俠片，可能沒有老朋友們想像的那麼好那麼了不起，這是一定的。不過沒看過這些老片的年輕人，倒也不可隨便輕忽他們的貢獻與成就。我反覆思考認眞比對，我眞覺得：如果這些電影有機會重新包裝重新發行，一樣可以迷倒一堆美國、歐洲的觀眾的。

也就是說，他們的確生不逢時，他們作夢也想不到會有洋鬼子一窩蜂進戲院看中國武俠片的時代來臨。然而這個時代眞的來了，時代大環境造就了李安這樣的新英雄。

這樣的時代變遷怎麼來的？大概就是從「後現代主義」從「顛覆」的潮流裡演變來的。很多人聽到「後現代」就頭痛，聽到「顛覆」就覺得俗濫，然而我們卻不能忽略，「後現代」「顛覆」的重大影響，其實不在學院裡寫了多少論文、有多少批判

論述，而在於潛移默化中拆除了一般人心理上的文化執念與文化偏見。

執念與偏見最可怕的地方，就在你甚至無從察覺那是執念、那是偏見。你只覺得討厭那樣的東西，覺得那樣的東西沒水準、無聊或粗糙難耐。

以前美國人的執念與偏見裡，容不下像《龍門客棧》那樣的電影。現在不一樣了，他們其實並不是一眼就看出《臥虎藏龍》精采的地方，而是他們進電影院看《臥虎藏龍」時，已經沒有了拒斥的預想了。

最近聽到為《臥虎藏龍》作曲的譚盾寫的歌劇《牡丹亭》。樂器全都是中國傳統的琵琶、古箏、二胡，可是搭配的歌唱卻是巴洛克時代甚至更早的教堂吟唱風格。這樣的結合，在過去是不可想像的，也是難以被接受的，我發現我自己對這樣的音樂聽得津津有味，因而嚇了一大跳。在不知不覺中，我也放下了執念與偏見，進入了二十一世紀的顛覆空間裡。

二十一世紀的地獄

　　但丁的《神曲》當然是意義非凡的名著。《神曲》以義大利文寫成，大大有功於促進義大利文擺脫拉丁文的陰影，獲得其獨立的語言地位，《神曲》也成了義大利文最早的「國語文學」，這點意義不容輕忽。

　　從基督教信仰上看，《神曲》也算是突破性的發展。在但丁筆下，地獄、煉獄與天堂不再是中古經院哲學中的抽象討論，而有了具體的、寫實的內容，《神曲》之所以吸引人，就在於它描寫的其實不是神聖的世界，反而充滿了濃厚的人味。

　　在《神曲》的故事中，詩人在前輩味吉爾(Virgil)的帶領下，先穿過了地獄，然後體會了天堂。在地獄裡，他遇到了許多人、聽了這些人各式各樣不同的故事、親眼目睹了他們所受的種種或恐怖或殘酷或匪夷所思的懲罰，構成了《神曲》中最有趣、最值得討論的部分。

　　值得討論之一，是但丁筆下的這些角色都非常寫實，甚至有人認為他描寫的地獄，根本就是拿他所生活的佛羅倫斯居民為藍本的。所以地獄不再是抽象的、不再是遙遠的存在，而是充滿了活生生的、日常就看得到的欲望流竄。

　　值得討論之二，是但丁透過《神曲》，在建構一套複雜的罪

與罰的系統。他想像的地獄分成好幾圈、每一圈裡又包括了好幾層，犯了什麼罪，耽溺於怎樣的欲望，就會被丟擲到相應的某圈某層，接受某種懲罰。而地獄裡最嚴厲的懲罰，幾乎毫無例外都是周而復始、無窮無盡的。時間在地獄裡失去了意義，因而也就不能依賴遺忘來減輕痛苦。

值得討論之三，是這套罪與罰的嚴格系統，和但丁的寫實手法，中間存在著緊張關係。因為愈是寫實的人物、愈是活生生的遭遇，就愈容易激起讀者的同情，而同情往往就導引至寬容的原諒，與以罰懲罪、一報還一報的模式，大有牴觸。

我們可以這樣說，從《神曲》出版問世的十四世紀以降，人類花了絕大部分的時間在修正但丁所提出的罪罰系統。在宗教的帶領下，大家普遍認為受苦受折磨(suffering)是犯罪（不管是欲念的原罪，還是違背法令的罪）應付的正當代價，問題只在如何讓輕重有別的罪，各如其分地受不同程度的痛苦折磨。

這種情況，在二十世紀，尤其是二十世紀最後二、三十年，卻有了決定性的大轉變。在西方世界、尤其是美國捲起了一波探索、強調「絕對人權」的思潮。「絕對人權」的一層意義，在於只要是人就擁有人權，即使罪人犯人也有人權；「絕對人權」的另一層意義，則在於任何人遭受外加的痛苦折磨，都應該得到我們的同情，否則一個可以對痛苦折磨視若無睹的社會，就有可能發展出冷酷無情、戕害人權的系統來。

換句話說，但丁的寫實細節引發的同情，到二十世紀第一次戰勝了罪罰架構，成為人們閱讀《神曲》的重點。經歷二十世紀這樣的人權革命，我們赫然發現，如果《神曲》中描寫的

地獄眞的存在，那麼上帝就成了人權最嚴重的侵害者，上帝比希特勒還要恐怖、還要可惡。

　　不要小看這種變化。違背人權的地獄想像不能再存在了，宗教上的超越原則要如何調整？被抗議不應該設置地獄的上帝，又將要如何在二十一世紀自處呢？這是個大問題，二十一世紀的大問題。

二十一世紀在試探理性與非理性的界限

在車上從收音機裡聽到慕特（Anne Sophie Mutter）演奏韋瓦第《四季》中的夏季樂章。窗外正是暴雨傾盆，慕特處理強弱對比這段極其戲劇性，低聲處抑斂至幾乎難以聽聞地細縷不絕，立刻接上最大音量的弦樂齊鳴，聽至過癮時，渾然忘卻了自己已經到達目的地，懶得停車熄火開門衝入雨中。

因為是偶然聽到，無從確知慕特的這段錄音出自哪年哪個版本。只知道在戲劇衝突效果上，迥異於一般大家熟悉的《四季》曲風。韋瓦第的《四季》最出名最具影響力的版本，首推馬里納（Neville Marriner）的詮釋，因為有馬里納的權威示範，大家才慢慢接受《四季》成為二十世紀最受歡迎、最普遍的背景輕音樂。

二十世紀中，韋瓦第《四季》受歡迎的程度是無可匹敵的。從古典音樂原鄉歐洲，到美國，再到新興現代化國家如日本甚至台灣，咖啡館裡會選放的古典音樂曲目，《四季》就算不是穩居第一，至少是保證前三名。還有書店、百貨公司甚至餐廳，想要表示氣質又怕嚇走顧客時，大家第一個想到的合適音樂，也還是韋瓦第的《四季》。

作為公眾場合背景音樂的《四季》充滿了優美多變化的旋

律。甜美、平易近人，而且散放著某種理性均衡、不偏不倚的
光輝。這就是馬里納替二十世紀定音的《四季》。

　　這樣的《四季》一方面符合二十世紀對巴洛克時代的想
像，覺得那是個裝飾複雜然而基本結構如數學般明確的時代。
另一方面也符合已經充斥著各種狂暴悲劇、血腥屠殺的二十世
紀所需要的休息與安慰。

　　可是這樣均衡、甜美的《四季》，真的是韋瓦第心中想像的
作品嗎？為什麼和韋瓦第同時代的人，聽了《四季》的演出，
會冒出「這是空前嚇人的演奏！」這樣的評語？為什麼所有的
傳記資料告訴我們的，韋瓦第其實是個桀驁不馴、性格暴躁接
近狂亂的人？

　　閱讀韋瓦第有限的傳記資料，怎麼找也找不到均衡甜美的
部分。紀錄裡他很凶、自大、說話很不實在。他天分很高，但
對於欣賞他音樂的王公貴族們，他毫不留情地把他們當凱子來
戲耍。

　　在十八世紀初年，幾乎所有的音樂學者都大肆批評韋瓦第
的風格。他們認為他標新立異，追求變化而忽略、甚至鄙視傳
統規範。韋瓦第的曲式，從這些人眼裡看去，非但不均衡不甜
美，毋寧比較接近混亂狂暴。

　　很長一段時間，音樂史上幾乎遺忘掉了韋瓦第。即使到今
天，除了《四季》及少數幾首協奏曲之外，韋瓦第作品也很少
得見天日。然而大家不敢將韋瓦第丟進歷史的垃圾桶裡，一個
重要的理由是：被尊奉為西方古典音樂之父的巴哈曾經熱烈地
學習韋瓦第，從韋瓦第那裡巴哈才懂得了該如何「以音樂思

考。」

　　像巴哈這樣不世出的天才，究竟在韋瓦第作品裡聽到了什麼？思考了什麼？又學習到了什麼？這的確是個非常有意思的問題。

　　答案可能是：巴哈學到了如何將情感，大喜暴怒慟哀狂樂，灌注在如數學般精確的音樂裡。

　　如果從這個角度重新審視韋瓦第，那麼我們會更能欣賞慕特展現的激動戲劇性。甚至我們還會發現慕特的狂暴中，其實還是有著理性的矜持與收斂。真正觸及到韋瓦第暴亂內在的，應該是新興室內樂團Il Giardino Armonico最近的錄音版本。他們把帕格尼尼式的魔鬼技巧放肆地搬來演奏《四季》，把《四季》演奏成某種瀕臨崩潰與解體邊緣的末世景觀。

　　這樣打破理性與非理性界線的《四季》，是二十世紀無法想像的。二十世紀雖然花了許多力氣探索非理性，但探索的基本態度依然是理性與非理性判分之後的二元架構。一個理性與非理性尚未分化、彼此混合彼此穿透的世界，一個可能更接近韋瓦第生存的世界，要到二十一世紀才逐漸回到這個被理性統治已久的地球上來。

尋找二十一世紀的音樂

有些話說起來難免傷感，然而卻又不能不誠實地說。例如講到音樂時，我們不能不承認，所謂「古典音樂」是十九世紀之前的音樂。雖然二十世紀仍然發展了「現代派的古典音樂」，但那裡面已經沒有了古典音樂之所以爲古典音樂的活潑熱力了。「古典音樂」沒有死去沒有消失，它只是停留在十九世紀以前的形式裡，它是十九世紀前的時代的產物，二十世紀的社會二十世紀的生活，與產生古典音樂的邏輯、精神愈走愈遠，我們依然擁有古典音樂，但我們擁有的是十九世紀前便定型了的古典音樂。

講到音樂，我們不能不承認，爵士樂大概不會跟隨我們一起到二十一世紀去冒險了。愈來愈多跡象顯示，爵士樂大概會留在二十世紀裡，成爲二十世紀最具代表性、最光輝燦爛的音樂成就。

二〇〇〇年一整年內，美國賣掉的ＣＤ唱片中，爵士只占了百分之三。然而光是在二〇〇〇、二〇〇一兩年中，我們至少可以讀到五十本以上用英語寫的關於爵士樂的新書。二〇〇一年還出現了伯恩斯（Ken Burns）拍的紀錄片，名字就叫作「爵士樂」。這部紀錄片特別的地方，一來是它剪輯完成之後，

足足有十九個小時那麼長。然而十九個小時裡的大部分時間，我們看到聽到都是五○年代以前的爵士樂，五○年代以後的則跑馬燈般匆匆帶過。

本來應該用聽的音樂，開始被研究、被記錄、被解釋了，這正是音樂典律化的明確跡象，通常也就預示了這種音樂形式創造活力的終點來臨。面對爵士樂，我們開始充滿懷舊情緒、開始改用過去式來敘述，又是另一個把爵士樂供奉在二十世紀徵兆。

像看到堅持留在鄉下小磚房裡，無論如何不肯搬進都市大樓的老人一樣，有點感傷，卻也無可奈何。因為那真的才是和他相應相襯的環境，勉強不來。

丹斯（Stanley Dance）曾經問過爵士大師艾靈頓（Duke Ellington），爵士樂是不是「哀傷之歌」？艾靈頓回答說：「不，爵士樂是關於浪漫挫敗的歌。」

以浪漫姿態來面對宿命挫敗，這種精神貫串了二十世紀的爵士樂，也貫串了二十世紀美國黑人的歷史。爵士樂剛出現時，黑人還經常在南方遭到私刑殺害，早年的爵士樂手，不管有多麼了不起的音樂成就，都只能擠在又髒又臭的火車廂裡旅行到下一個表演的驛站去。正因為他們的自由如此有限，他們的音樂才會迸發出對於規範規律那麼精巧的逗弄。

即使是莫札特，也沒有玩過像阿姆斯壯（Louis Armstrong）一九三○年演奏的《Sweetheart on Parade》那麼複雜的節拍混合與變化。爵士音樂中的即興演奏，更是一種個人靈魂從樂團集體中解放出來的狂舞，自由不受拘束的哭喊神祕地轉化成令人

愉悅的頌歌。難怪最近二十年，愈來愈多古典音樂出身的演奏家，改行向爵士靠攏，因爲他們想要在爵士裡釋放自我、表現更高更純粹的個人。

然而，他們沒有眞正被禁錮過。他們可以演奏，卻愈來愈難創造出新的爵士樂曲了。爵士樂內在反映的那種向絕對禁錮進行的絕對掙扎，已經不復是存在的現實了。

我們正在與爵士樂慢慢道別。然而當我們的時光之舟愈航愈遠，地平線那端會浮現出什麼樣的音樂新大陸呢？暫時我們似乎還看不見岸影。

二十一世紀的孤獨

　　世紀之交那年，諾貝爾文學獎頒給了高行健。這樣的時機選擇當然有其因緣泊湊的偶然成分，但卻亦必有其深具內在意義的象徵。

　　象徵之一，在於對中國的錯綜情結。這是最多人看到談論到的。經歷一個多世紀的交往，西方世界很明白：不可能再忽視中國的力量，也不可能再片面地將中國視爲威脅、潛在的邪惡帝國。中國已經是世界的一部分，而且是非常重要的一部分，這點必須以正面方式肯定。隔了一個世紀，終於把諾貝爾文學獎頒給中國人，就像一九六八年頒給日本的川端康成一樣，是正面的接納與肯定。然而選擇川端康成是對日本放心的肯定，選擇高行健毋寧比較接近擔心的肯定。

　　肯定中依然帶著對中華民族沙文主義以及中國官方政權的擔心與不信任。就文學論文學，當代中國作家中可能眞有不少成就足以和高行健匹敵、甚至勝過高行健的，然而他們都沒有高行健那種對西方友善開放、樂於接納學習的態度，也沒有像高行健那樣表白對中共的不滿，不，甚至不是不滿，是不屑。

　　不過除了這個中國情結之外，我更關心高行健獲獎的另一個象徵，那就是個人聲音、孤獨聲音的重新建立。

　　在許多地方，包括在〈受獎演說〉中，高行健都一再強
調：「一個作家不以人民的代言人或正義的化身說的話，那聲
音不能不微弱，然而，恰恰是這種個人的聲音倒更爲眞實。…
…文學也只能是個人的聲音。……文學要維護自身存在的理由
而不成爲政治的工具，不能不回到個人的聲音，也因爲文學首
先是出自個人的感受，有感而發。……有關文學的所謂傾向性
或作家的政治傾向，諸如此類的論戰也是上一個世紀折騰文學
的一大病痛。」

　　回到個人的聲音不必然就保證文學不會成爲政治的工具，
在這點上我和高行健看法不同，畢竟個人充滿了各種政治與權
力上的偏見，同樣會流露在個人聲音所構成的作品裡，就算完
全不表達政治性意見的作品，也可以被政治利用來解讀爲某種
默許與默認。不過對於高行健講的折騰文學的病痛，我倒是完
全同意。

　　二十世紀整體的時代演化主題之一，就是人群接觸範圍的
不斷擴大、機率不斷地愈變愈頻繁，人因而一方面被置放在更
大更煩亂的群眾當中，另一方面卻也快速流失了原本擁有的緊
密的家庭、社區的保護。這種社會變動反映到文學上，就產生
了一個最大的困境，我們在熱鬧中感受到空前的寂寞，可是那
外在的熱鬧使我們無法去表達寂寞，找不到表達寂寞的空間，
也找不到表達寂寞的語言與句式。

　　高行健稱他自己的作品是「冷的文學」。他的文學是一種在
集體時代爲了保持自我，而不得不持續進行的自言自語。他的
語言的起頭是「自言自語……，藉語言而交流則在其次」。這樣

一種信念與風格，不免讓我們想起開啓二十世紀文學序幕最重要的作家之一——卡夫卡。卡夫卡的寓言與小說，基本上也是一種自言自語，一種孤獨中的自我折磨與自我解放的奇特矛盾統一。

　　二十世紀一百年的走向是由冷而熱而過熱。進入二十一世紀，人群人眾的互動熱度已經升高到把每個生命內在細微精緻部分都要烤焦的地步，在極熱中看到標榜冷的、孤獨的高行健，不失為一張清涼帖，貼在額頭上讓我們暫時退燒。

二十一世紀的人類學

　　沒有其他學科，像人類學一樣，在二十世紀裡經歷過那麼大、那麼劇烈的變化。

　　二十世紀開始時，以研究異文化為其對象的人類學，還是一門最熱鬧、最趾高氣昂的學問。熱鬧是因為西方帝國主義征服到哪裡，人類學家都跟著到哪裡去做調查、記錄；甚至帝國主義還來不及去的地方，也有人類學家抱著冒險犯難的精神，為其先驅傳送回來第一手的情報。人類學家與帝國主義關係如此密切，也難怪從他們獲得的資助、到他們的方法、到他們發表的理論，都帶有濃厚的文化優越氣息。

　　換句話說，那個時代的人類學，抱著認識、理解異文化的表面使命，骨子裡卻是最自我中心、西方本位的。他們看異文化的眼光充滿了偏見與歧視，他們自以為的理解其實只是帝國主義用來合理化征服行動的宣傳一環罷了。

　　進入二十世紀，帝國主義的氣焰逐漸黯淡下去，第一次世界大戰之後，民族自決的反帝原則成了新興主流，原來依附在帝國主義大論述下的人類學，相應地被迫進行了調整，而這一調整，非同小可。

　　在理論立場上，有鮑亞士(Franz Boas)；在方法論上，又出

現了馬凌諾斯基(Malinowski)。馬凌諾斯基主張人類學必須奠基在「參與式觀察」上，人類學家必須長期與被觀察的對象生活在一起、參與他們的生活，同情地理解他們之所以如此生活的深層理由、分析他們生活的結構，才能寫下負責任的民族誌紀錄。鮑亞士則利用大量的人類學紀錄來反駁西方人先天比較優越的理論，強調文化形塑人的強大力量。

於是人類學翻身成了最不西方、最不驕傲的學科，人類學的依據一下子從帝國主義變成了文化相對主義。異文化的比較，只是性質上的比較，無法比較高低或進步與否。因為每個文化都自成系統、自有意義，不能用這個文化的標準來衡量、否定另一個文化。

當人類學如此轉變的同時，世界的發展跟它開了一個最大的玩笑。人類學家極力主張文化的相對價值，然而西方價值、西方文化模式卻以空前未見的方式在消滅、取代各地的異文化。不僅是人類學家的文化主張無法實現，甚至更悲哀的是，連他們賴以存在的研究對象——異文化，也在快速消失當中。

不再有未被發現、未被西方勢力改造過的文化，到處都是同樣的好萊塢電影、麥當勞，到處都是汽車、寬廣的馬路、設計大同小異的機場，到處都是西裝、洋裝，那人類學家還要到哪裡去尋找他們的部落？

大家以為人類學大概會隨著純粹、不受污染的異文化的消失也壽終正寢時，二十世紀最終幾年，人類學卻迸發出了驚人的新活力。人類學以一種幾乎像是復仇者的姿態，將他們研究、分析的矛頭指回了當代的西方社會、西方文化。他們以迅

雷不及掩耳的速度，用研究異文化累積的智識資源，解剖般地
切開了當代社會被掩蓋在共同表象下的嚴重歧異。

　　換句話說，人類學轉而去考掘自己的文化裡面的異質性，
轉而去暴露出同一種文化底層潛藏的種種被壓抑、被消音、被
刻意遺忘的潛意識。就像十九世紀末興起、在二十世紀大盛的
個人精神分析學，人類學成了二十一世紀的社會集體精神分析
力量。這股力量，會讓我們對於自我認識產生些什麼樣的變
化，絕對是二十一世紀不容錯過的重要學術大試驗。

二十一世紀的新旅館

　　紐約最近出現了幾間新的旅館。這些旅館號稱是全世界最乾淨的建築物，同時也是全世界最有力(most powerful)的建築物。這些旅館乾淨到近乎無菌的狀態，更重要的，裡面絕對看不到任何你不喜歡的動物。不會有老鼠，那是一定的，也不會有蟑螂，連螞蟻都很難逃過檢查狙殺。

　　至於在「有力」的部分，這些旅館配備了頂級的電力供應設施。一般的辦公室通常需要每平方英呎大約六瓦左右的電力供應，而這種旅館的標準高達每平方英呎一百瓦。

　　有人形容這種旅館是全紐約唯一看起來像是二十一世紀的新景觀。因為它裡面的樣子最符合科幻小說、電影裡灌輸給我們的未來想像，和「現在」那麼不一樣。就算在全世界最繁華的紐約曼哈頓，其實你都感受不到太多真正的未來。

　　你要去紐約觀光旅行是不是？我可以很明確地告訴你到哪裡可以找到這種二十一世紀的旅館。哈德遜街三二五號、哈德遜街六十號、亞美利加大道三十二號、百老匯街七十五號、十一大道六三六號，這幾個地方你都可以去試試看。

　　不過比較可惜一點的是，不管你多有錢、多有辦法，你大概還是沒有機會回來跟人家吹噓，你在哈德遜街三二五號新開

的未來旅館裡住了一夜。為什麼？因為這些旅館不開放給生人居住。不，不是會員制的關係，而是只有機器，而且是非常重要的機器才有資格租住這些旅館。

這些旅館叫作「開關旅館」(switch hotel)。它們的房客是各個網際網路公司的電腦主機。網際網路快速發達，每個公司都面臨共同的問題：如何放置、儲存主機，如何避免主機受到不必要的打擾與侵害？

對這些網際網路公司來說，服務品質最大的傷害就是當機。主機夠不夠大、夠不夠好，固然會影響當機的機率，可是我們也別忘了，主機愈大，就愈難找到一個適當不受打擾的地方存放。有愈多人可以接近你的主機，受到有意或過失所造成的損害率當然也就愈高。

腦筋動得快的房地產商人，想出了switch hotel的形式，幫忙解決這個問題。他們買下空屋，投資大筆資金進行整修，最重要的是要讓整幢房子充滿了近乎無限擴充可能的電力供應，接著在每一個房間、房間和房間中鋪滿最先進的光纖線路。改裝完成之後，他們就可以用最昂貴的價錢把這些空間租出去。

事實證明，他們的眼光沒錯。即使在那斯達克大跌之後，還是有許多公司搶破頭要租這些旅館空間給他們寶貴的主機享用。他們還會在既有提供的設備之外，自己再投資升級。例如說幾乎每一間都會自備一台最高功能的備用發電機。儘管switch hotel本身已經有三重、四重複雜的預防斷電的措施，網路公司還是得未雨綢繆，考慮到：萬一整個紐約大停電怎麼辦？大停電時，所有以紐約為主機基地的網站都停擺，如果獨獨我們家的

主機還能繼續運作，豈不是搶得商機、大賺一票！

　　愈是在資金緊俏的情況下，switch hotel再怎麼昂貴，愈是一位難求。在大家都把主機放進switch hotel時，如果你還讓主機屈曲地留在自家公司的儲藏室裡，會給投資者不夠專業的負面印象，他就更不願拿錢出來投資了。

　　我們可以想像switch hotel裡的特殊景象。一排又一排的主機，一圈又一圈的線路。到處都是金屬的光澤，以及機器上此彼落的指示燈光。整幢屋子沒有人聲，然而卻也不寂靜，每台主機運轉時發出的低頻聲響彼此呼應，交織成一首特殊的催眠曲。機器和機器之間彷彿在交談，又彷彿在抵拒交談。而在每一瞬間，在switch hotel的空間裡，有上千萬，甚至上億的人正在交換訊息，世界沒有任何一個角落和這間旅館眞正隔絕。它在卻又不在紐約。

　　你知道爲什麼這種旅館那麼二十一世紀，那麼「未來」了吧！

二十一世紀接下的爛攤子

　　如果你現在去紐約，穿過大街小巷，東張西望、前看後看，你會看到些什麼？你當然會看到許多來往穿梭的汽車，似乎總是倉皇趕路的行人，不過還有一樣東西你也一定會看到，而且每走幾步路就出現一個，陰魂不散地跟著你，你想躲都躲不開。

　　因為它們如此巨大，因為它們是把整幢大樓包住的鷹架。到處都是鷹架、到處都是工地，不過紐約的工地和鷹架和你在上海看到的完全兩回事，紐約曼哈頓早已是個充分開發、樓滿為患的區域，沒有條件也沒有道理大肆蓋新大樓新公寓。

　　那麼紐約的鷹架是幹嘛用的？是為了整修房屋用的。而且也不是因為美國經濟在九○年代爆發大榮景，所以紐約人不約而同地愛面子好炫耀，紛紛砸錢把門面修得漂亮些。他們花錢是不得已的，因為有太多房子已經快要倒快要塌了。一九九五年三月，哈林區一百四十街的一幢大公寓，突然房子的整面東牆轟地一聲垮掉了，住戶屋裡的家具從沒有了牆的大洞裡摔跌出來，倒楣的是至少有三個還在睡覺的人，隨著他們的床跌下來，不幸傷重喪命。

　　這只是一個比較嚴重的例子。全紐約一共有數萬幢的大

樓，其中還有許多是摩天大樓。這些樓的共同特點：都是二十世紀這一百年間蓋的，都已經上了年紀，都開始出問題了。

二十世紀蓋的房子，有問題嗎？當然有。二十世紀一開始，人類就學會了用鋼鐵來蓋房子。鋼鐵用在建築上，使得過去最高六層樓的結構限制被打破了，再加上二十世紀承襲十九世紀以來的人類進步自信，結果就是大家競相努力蓋出更高的樓。

世紀初的美學風格裡，樓不但要高，而且要有華麗裝飾的外表。所以在鋼鐵之外又大量使用了水泥、磚塊、石膏等材質，從屋頂到窗戶到樓層間隔，都貼得美輪美奐。然而現在這些裝飾全成了建築物上嚴重的負擔。紐約的建築師會衷心誠意地勸你：看到那種世紀初古典風格的大樓，請立即走到街對面去，而且不要停留觀賞，誰都不知道那些裝飾什麼時候哪一個會砸下來。

世紀中期開始流行現代主義。講究幾何線條、明快節奏與簡潔空間。於是嫌原來的鋼鐵結構太笨重，原來的門窗設計太複雜了。流行用更輕更少的鐵鋼，並大量裝設帷幕玻璃。到二十一世紀，這種現代主義風建築也有了它們的毛病。它們太輕了，平常風吹來就搖得厲害，時間久了更經不起雨打侵蝕，鋼條很容易從裡面鏽起，而玻璃帷幕和建築主體間的縫隙也愈來愈大，大到誰都不知道那些玻璃什麼時候哪一塊會砸下來。

整體來看，二十世紀的問題，現在會變成二十一世紀必須去收拾的爛攤子，就在二十世紀的人太自負於自己的發明，以為自己可以輕易戰勝時間、創造永恆；然而實際上，那些發明

只是在大體上有用，卻留了許多細節漏洞，是粗心大意的二十世紀人看不到或不願去看的。

鋼鐵、水泥、石材的確很堅固很耐用，然而要把這幾樣東西組合成大樓，卻一定會留下各式各樣的接縫。雨水就可以從這些接縫流進來，開始使鋼鐵生鏽。龐大的膨脹力量，接著又可以使水泥嚴重變形，水泥一變形，附著在上面的沉重石材也就撐不住了。

這是一般樓房傾頹的過程。而這樣的過程會發生在紐約，也就會發生在台北。更麻煩的是，這只是二十世紀留給二十一世紀的爛攤子之一，其他有待收拾的，還多著咧！

殘留在二十一世紀的民族主義噩夢

在波蘭有一個小城，名字叫Jebwabne。一九四〇年代，小城只有大約兩千五百名居民，其中一千六百人是猶太後裔。Jebwabne周圍的景色幽美，兩條河流在此相交，春天氾濫的河水製造了龐大壯觀的沼澤地，一九九三年波蘭政府將這塊區域選擇為國家公園，是波蘭境內最大的國家公園。

對二十一世紀才去到波蘭的觀光客而言，這是個自然景觀的寶庫寶藏。散步在濕地邊，他們不會知道歷史上這個地方發生過些什麼事。至於當地的居民，他們則是根本不想知道、更不願別人知道這裡曾經發生過些什麼事。

這裡曾經是波蘭猶太人的重要居地。猶太人早在十五世紀就來到Jebwabne。一七七〇年的紀錄顯示：全鎮四百五十位居民中，猶太人占了三百八十七人。換句話說，猶太人不是新來乍到、不是外來移民，他們在這個地方已經和其他波蘭人做鄰居共同生活，長達四、五百年了。

然而這種狀況，在一九四一年間完全改變了。而且是在一九四一年六月十日這一天，一天之內完全改變了。六月十二日清晨，整個Jebwabne看不見任何一個猶太人，全部沒有了，鎮上多了一千六百具猶太人的屍體。

這當然是二次大戰中屠殺猶太人的殘酷暴行中的一部分。這當然又是希特勒領導的德國納粹恐怖血腥的傑作，至少過去的歷史書會如此想當然爾地記載。

不過最新出版的一本書，格羅斯（Jan T. Gross）寫的《鄰居》卻講了一個不一樣的故事。發生在一九四一年六月十日那天的事，其實德國人並沒有參與。剛占領這個地方的德國人只是告訴波蘭人，給他們八小時時間，在這段時間內他們愛怎麼處置就怎麼去處置猶太人。

所以這裡沒有毒氣室，甚至沒有用到現代化的武器。因為德國人沒參與，他們也拒絕將武器發給波蘭人去對付猶太人。換句話說，在那一天當中，小鎮一、兩百個成年男性波蘭人，用最原始的方法殺了一千六百個猶太人。

因為原始所以更血腥更殘酷。用石頭、木棍、鐵棒打死。挖坑活埋。用鐵鉤襲擊腹部勾出內臟。推到河裡淹死。然後他們發現以這些方法以這樣的速率，德國人給的八小時不夠毀滅全部的猶太「鄰居」，於是他們改而把猶太人統統趕進一座穀倉裡，澆上汽油點起火來，一口氣活活燒死了一千五百條人命。

這個屠殺經過最驚人的部分，正就在於「鄰居」。和戰爭不一樣，和毒氣室不一樣，和日本人在南京大屠殺裡的瘋狂情緒不一樣，這些波蘭人面對的是他們長年熟識的鄰居。他們都曉得誰是誰，什麼名字幹什麼的，這些人不是陌生人。而且沒有人強迫、沒有命令要求他們非這樣做不可。

雖然只是六百萬中的一千六百人，然而這樣一件陳年史實出土，還是讓人背脊發涼。主宰、統治十九、二十世紀的民族

主義、種族主義思潮，到底對人有多大的控制能力？顯然經歷這麼多災難後，我們對民族主義、種族主義的恐怖潛能還沒有完全掌握。至少還沒有掌握到可以理解讓鄰居集體屠殺鄰居的程度。

　　而且二十一世紀，我們沒有把握可以眞正脫離民族主義、種族主義的噩夢。在經濟力的席捲下，國界可能正在模糊、正在消失，然而別忘了，Jebwabne的波蘭人與猶太人間根本就沒有國界存在。潛藏在心裡的民族、種族界線，比國界更具深層心理意義，也就更難予以磨除。

第二輯

時空交纏

　　這些文章都是談二十一世紀新趨勢的,然而在敘述與詮釋中,無可避免帶著我自己濃厚的二十世紀、甚至遠溯十九世紀的價值與標準。這裡面有最炫最酷的潮流趨勢面貌,有一個沉迷於十九世紀的歷史的人,對於某些悠久傳統、深厚人文精神的根本堅持。

柴可夫斯基與爆米香

我們活在一個錯雜的世界，毫無疑義。不再有單純、純粹的東西。十九世紀末、二十世紀初，文學家從精神分析那裡借來「意識流」手法，之所以引起那麼大騷動，是因為大家被迫面對自己內心世界如此混亂無序的事實。然而在那個當口，人們還是相信、還是習慣，外在世界是井然有序的，這個是這個、那個是那個，該如此就如此、老如此總如此。

現在，經過了一世紀的文明大交雜，變成這個就是那個、那個就是這個。

我記得最早接觸到一八一二年俄國與法國間的戰爭故事，是在托爾斯泰的《戰爭與和平》裡。我忘不了彼埃爾・別祖霍夫隻身前往莫斯科，化裝為農夫為了要暗殺拿破崙的那份悲壯心情。可能也是受到這段故事的影響吧，我曾長期誤會這場戰爭的勝利者是拿破崙，以為他真的征服了俄國，趾高氣昂地進入了莫斯科。

後來上大學時讀西方近代思想史，遇到了柴可夫斯基的《一八一二序曲》。剛從美國名校回來的年輕教授眉飛色舞地描述在這首曲子中，〈天佑我皇〉（代表俄國）與〈馬賽進行曲〉（代表法國）主旋律如何在大師的精巧安排下輪番浮現，而且彼

此消長，到最後在〈馬賽進行曲〉疲弱淡出成爲微不可聞的背景時，轟轟然、洞洞然響起砲聲，襯飾著鏗鏗然、鈴鈴然的教堂鐘聲，代表著不只是俄國軍隊的勝利，還有俄國東正教精神的反敗爲勝。

對還不知古典音樂爲何物（我在這方面啓蒙甚晚）的我而言，那想像中的雄偉樂聲比別祖霍夫沒實現的刺客行爲更悲壯一百倍。後來眞正聽到柴可夫斯基作品，果然精采果然感人。我不只聽過不下十個不同演奏版本，還在哈佛校園聽了一場現場演奏。演奏水準算不上頂級，不過重要的是砲是眞的砲，鐘聲是如假包換俄國的鐘聲。因爲哈佛羅威爾學院樓上有一組從俄國修道院搬來的老編鐘，一共十九隻聲響清麗可以傳遠的鐘。眞砲配正統俄鐘，果然好聽。

不過在美國，在柏林圍牆倒下、蘇聯解體的敏感時刻，聽被迫遷來異國的編鐘演奏《一八一二序曲》，悲壯中加入了更多更濃厚的欷歔，像在懷想最終慘敗的大戰中最先前一場無關緊要的小戰役的短暫光輝。

最近在台灣，從廣播電台的廣告裡，聽到了懷想消逝中的鄉土點心「爆米香」的片段，從「爆米香」必有「爆」時的「呼」聲開頭，經過幾個無厘頭自由聯想的轉折，最後竟然將爆米香的呼聲和《一八一二序曲》的高潮砲聲牽合在一起，交疊混音，俄國與東正教的光榮落得來賣台灣爆米香，不，來替台灣追想懷念已經買不到也沒人想買的爆米香。

在悲壯中加入了令人啼笑皆非的滑稽感。的確，台灣人很難和悲壯感應，不瞭解也不尊重悲壯，在台灣，一切都是滑

稽。我們具有把一切悲劇一切壯麗的美，不管是歷史的還是現實的，都雜混再製成滑稽鬧劇的神奇本事。似乎只有在鬧劇裡我們才活得下去。

陌生的偏執邏輯

如果你這個時候去日本，車子開上每條高速公路，不，每條主要公路，你一定會看到一個宣傳招牌，上面寫著：「車主必須為車上掉落的物品負責！」你不可能錯過這個標語，因為在所有可以掛標語的地方，它都在那裡。

如果你這個時候去日本，隨便翻開任何報紙、雜誌，你都會看到一個奇怪的中年男人，手上拿著可怕的面具。旁邊的字寫著：「不要再做嚴酷可怕的老爹了吧！」你不可能忽視這位奇怪的中年男人，因為他無所不在。

這些現象，讓我想起早年洛克斐勒基金會，在全球各地擔當消滅寄生蟲、傳染病急先鋒時，訂定下來的工作原則。「經驗證明，要宣傳一項陌生的運動時，最好的辦法，就是用一種『整個宇宙只剩這件事情還未完成』的態度來推動！」

別的事情，暫時可以假裝都「正常化」了，只剩下單一這件事還「不正常」。這是一種偏執的邏輯，不過常常也是最能立刻收效的邏輯。而日本人、日本社會，正是這種「常態／非常態」偏執邏輯最有名的信仰者。

高速公路上不可能沒有其他災難與意外。可是你的確會覺得現在最可怕的事，就是前面哪輛車上載運的東西，可能突然

綑綁不牢、骨磥磥噗通通地滾落下來,造成緊急煞車,後方亂成一團、撞成一團。唯一比這個想像景況更可怕的,是自己車上的什麼物件,以某種神祕的方式突然掉落在路上,釀成了車禍,自己的照片被大大地刊登在報紙上,警察臨門把你抓去坐牢。

那是一種誇張的悲劇感與危機感,完全和現實機率脫節。然而正因為誇張,所以大家都被弄得極不舒服,不舒服到就算明知自己的車上沒有掛什麼、載什麼,你還是會忍不住停下車來再三看看查查。整個社會一起經歷開車上路就心裡發毛的折磨。

要折磨,才能讓人看到問題,不逃避也不能逃避,這是「偏執邏輯」的核心原則。要折磨才能得到鍛鍊與進步,這是「偏執邏輯」的中心信念。所以日本武士道裡強調冬天洗冷水、強調以意志力控制欲望、強調挑戰自己最差最弱的能力,都是同樣邏輯下的產物。

這種思想、這種邏輯,集中焦點、對自己嚴酷,剛好是我們的社會最難理解、最難接受的。在我們的思考習慣裡,就是沒辦法想像「整個宇宙只剩這件事情還未完成」。我們總是在問,第一問:「有那麼嚴重嗎?」第二問:「難道沒有更重要的事了嗎?」第三問:「幹嘛那麼認真?」

我們不願接受「整個宇宙只剩這件事情還未完成」。我們更不願意為了矯正某個毛病某個錯誤,就弄得自己痛苦,我們連不方便都不太能忍受了,何況是痛苦。

從一個角度看,台灣這種態度比較現實,也比較健康。因

爲宇宙裡眞的不是只剩一件事沒完成嘛！不過換個角度，我們也就可以明瞭，爲什麼許多明知是錯誤、明知是不應該的事，在我們的社會裡竟是可以拖那麼久，得不到解決。

「偏執邏輯」或許無法在短時間之內，讓日本著名的嚴父都改頭換面成溫柔的爸爸，但卻一定可以讓高速公路上不再有粗心大意的司機，不再有東西亂散的貨車。

虛榮的價值

一九六三年三月，美國《時代》雜誌創刊四十周年。《時代》的創辦人、二十世紀最知名的新聞人之一——亨利‧魯斯開了一場空前盛大的慶祝會。慶祝會在號稱全世界最豪華的紐約華爾道夫飯店舉行，邀請的主賓是過去四十年內曾經當過《時代》封面人物的。當然如果是因轟動罪行登上封面的，例如希特勒之流，不在邀請之列。

另外邀了其他報界同業和大廣告商做陪客。陪客之一是《洛杉磯時報》的老闆錢德勒（Norman Chandler）。錢德勒帶著太太一起從洛杉磯飛到紐約參與盛會，《時代》特別派了一位編輯部同仁租了勞斯萊斯車去接機，以示尊重。在從機場到飯店的路程上，接機的《時代》同仁很盡職地簡報慶祝會的種種豪華設計，錢德勒太太突然打斷了簡報，問了一個問題：「你們選的封面人物中，有誰的太太曾經單獨出現在封面上嗎？」

《時代》的同仁還好對自己的雜誌夠瞭解，馬上就給了答案：「之前有羅斯福總統夫人，以及蔣介石總統夫人都上過封面。」錢德勒太太點了點頭。

錢德勒太太（Dorothy Buffum Chandler）這一問，至少反映了兩件事。一是當時以男性為中心的世界裡，女性要出頭很

難，要登上《時代》雜誌的封面，更是難上加難。二是錢德勒太太渴望自己能夠登上《時代》的封面，那是她最大的虛榮。

當時接待錢德勒夫婦的《時代》同仁萬萬想不到的是，短短一年之後，錢德勒太太真的成功運作登上了《時代》的封面。那一期《時代》報導的，是洛杉磯市中心區出現了一個巨大的音樂中心。這個象徵洛杉磯從一個邊境城市升格為具備完整功能的大都會的計畫，從無到有，是錢德勒太太一手促成的。

是她去說服當時控制市政決策的大老們保留七公畝半的土地，規定要興建音樂中心、戲院、高級餐廳、演奏廳等等。也是她負責去找到一千八百五十萬美金的經費。為了募集這麼多錢，她大方、近乎無限制地濫用《洛杉磯時報》的媒體資源，跟富商大賈進行交易；她也放下了過去堅持的高傲身段，只要有募款機會的場合，就算在人家破舊公寓舉行的私人派對，她也積極參與，有邀必到。

錢德勒太太的動機絕不單純、絕不天真。她要《時代》封面那種等級的知名度。她太清楚自己家族經營的《洛杉磯時報》在當時賺錢歸賺錢，卻是上不了檯面的大爛報，在《洛杉磯時報》出鋒頭，無法滿足她那齊天高的虛榮心。

為了滿足虛榮心，她替洛杉磯整個城市動了一次大手術。後來為了擺脫《洛杉磯時報》污名給她帶來的困擾，她又主導了《洛杉磯時報》的大整頓、大轉型，成為今天和《紐約時報》齊名的重要媒體。

誰不虛榮呢？可是我們周遭虛榮的人們，又有哪個有像錢

德勒太太這種野心和決心呢？虛榮到那種程度，而且眞的去追求那種程度虛榮的滿足，虛榮也可以變成美德。

怕就怕半吊子，怕就怕小鼻子小眼睛的虛榮。

市井與文化

明代詩人、書法家文徵明寫過一首這樣的詩：

「君家在皋橋，喧闐鬧市區。何以掩市聲？充樓古今書。左陳四五冊，右傾三二壺。」

這首詩是寫給他的好朋友唐寅（伯虎）的。詩中很精采的部分是「何以掩市聲？充樓古今書」這兩句，書是最安靜的存在，根本不會發出聲音的，然而書與書的內容，在沉默中所散發出來的力量，卻可以比任何其他聲音更有效地對抗喧擾嘈雜的市井之聲。

這詩最精采的地方，在於捕捉到了唐寅作為一個中國「市井文人」的精神原型。他就在市井裡，他的書與他的酒共存並列，他的書與他的鬧市同樣重要。

唐寅誤打誤撞成了明代江南新興市井文化的代表。他原本和其他「真正的」文人一樣，想走科舉官場的路。然而在三十歲那年，他進京趕考，卻捲入了科場弊案中，被懷疑賄賂考官，因而下獄。用他自己的話形容：「讒舌萬丈，飛章交加，至於天子震赫，召捕詔獄。身貫三木，卒吏如虎，舉頭搶地，涕泗橫集。」

經此劫難，唐寅被罰往浙江為吏，他不想去，費了包括文

徵明在內的親友關說，才沒淪入到一生幹刀筆小吏的命運。消沉一陣子之後，他出外遊歷近年，回到家卻發現家中近乎破產，不得已開始了賣畫爲生的日子。

唐寅畫作多，意境不差。他將文人畫的筆法、意念，加入在畫匠的傳統裡，也用畫匠對市場的敏感，活化了文人畫的拘執、衝擊了文人畫的造作，開闢出一片廣闊的天地。

他在市井間，擁有市井的現實感，然而他又擁有文人的文化技能，於是從明代開始，環繞著他而有了許多傳說。例如有他裝扮成乞丐去戲弄那些高傲文人的故事，這些文人原本看不起乞丐，沒料到乞丐作出來的詩比他們還高妙。充分反映了明代社會對於封閉、孤傲文人文化的不滿與譏諷。例如說更有名的《唐伯虎點秋香》的故事，將唐寅推爲在江南富庶環境中新興卻被壓抑的浪漫精神的具體象徵。

不過唐寅的悲哀就在，他自己從來沒有完全接受市井文人這樣的角色。四十六歲那年，他放棄了市井，受寧王宸濠之召，前往南昌準備重走官宦道路。到南昌才發現寧王準備起兵叛變的眞正企圖，膽小的唐寅不願留又不敢走，只好裝瘋賣傻。最誇張的狀況中，他在白牆上署名留下人品詩品俱甚劣下的打油詩：「碧桃花樹下，大腳墨婆娘，未說銅錢起，先鋪蘆蓆床。三杯渾白酒，幾句話衷腸。何時歸故里，和她笑一場。」

寧王終於把他趕回蘇州故里，可是回鄉後他原本的書畫生意也垮了，殘留下貧病交襲、抑鬱而終的結局。

作爲中國文化邊陲的台灣，最熱鬧最豐富的其實就是市井傳統。我們有的都是市井文人以及市井文化。可是我們卻從來

不喜歡、不尊重也不珍惜市井文人、市井文化所蘊藏的豐厚能量。老有人想把市井取消，建構一個「純粹」的文化；當然老是有更多的人完全看不懂文化，覺得只要熱熱鬧鬧，有錢可賺有酒可喝的市井就夠了，還要書還要畫幹什麼。

也就老是有市井文人像唐寅一樣，汲汲營營地努力讓自己去攀附其他權力，搞得自己灰頭土臉莫名其妙。

真正的「死忠」關係

　　《史記‧刺客列傳》一共記錄了五個人的故事。這五個人除了都有行刺王公轟轟烈烈的行為之外，其他不管行刺的方法或行刺的結果，就大不相同了。

　　第一位是曹沫，他執匕首劫持齊桓公，逼齊桓公答應「盡歸魯之侵地」。事情成功，而且沒有任何人在過程中傷亡。第二位是專諸，他把匕首藏在燒好的魚肚子裡，送到吳王僚面前，開魚肚取匕首刺王僚，「王僚立死，左右亦殺專諸，王人擾亂」。專諸雖死，卻達成了幫助公子光自立為王的目的。

　　第三位豫讓下定決心要殺趙襄子替智伯報讎。雖經幾次嘗試都沒有成功。最後一次，豫讓藏身橋下，還沒動作就被趙襄子發現了。豫讓最後的心願是要來趙襄子的衣服，「拔劍三躍擊之」，然後伏劍自殺。「死之日，趙國志士聞之，皆為涕泣。」

　　第四位聶政為嚴仲子往刺韓相俠累，一擊中的。不只殺了俠累，「所擊殺者數十人」，然後為了不願被認出身分連累親友，以刀劃面皮，挖出眼睛後剖腹而死。聶政如此而死，但他姊姊不畏「歿身之誅」，前往認屍。「乃大呼天者三，卒於邑悲哀而死政之旁」。

　　〈刺客列傳〉記錄最詳細、同時也是最為人所知的，當然就

是荊軻刺秦王的故事。荊軻先取得了樊於期的人頭取信於秦王，在獻燕國地圖時，「圖窮而匕首見」，左手已經抓住了秦王的衣袖，卻終未能成事。死前，荊軻「倚柱而笑，箕踞以罵」，他罵說事情之所以失敗，實在是自己想要生劫秦王，逼他答應停止侵略燕國以回報燕太子丹。這裡荊軻想著的前例，顯然就是曹沫。

看這些刺客故事，有成有不成，那太史公究竟憑什麼標準判定他們值得被記錄，值得「名垂後世」呢？卷末「太史公曰」中，明白說的是「其主意較然，不欺其志」，用白話文講，應該就是：他們都忠於自己的想法，雖然面對生死大事，毫不動搖，這樣的意念與決心，就值得以歷史之名聲肯定之。

數千年下來，我們今日看刺客故事，往往都忘了太史公的這項初衷。我們更容易忽略掉，這五個人願意奉上生命去做刺客，因為他們都是「客」，他們熱誠效忠的對象，不是國家、不是宗教、不是什麼抽象的理想，而是對一位特定「主人」。這種單純、直接的「主客」關係，才是戰國時代社會運作最主要的情緒動力。「士為知己者死」，在那個時代，不是句空話。更重要的，除了為知己者死，當時身為客的士人，找不到其他可以獻身的充分理由。

那樣一個社會，隨著列國貴族制的崩壞，秦漢帝國的建立，當然就一去不返了，不過在人與人之間的忠誠關係，被宗教、現實利益、好惡起伏變化、政治認同意識形態，不斷地穿刺割裂，背叛與欺瞞成為最普遍主題的時代裡，懷想那些志意亮皎的刺客們，畢竟不能不深深感慨。

如何面對或逃避歷史？

在匈牙利，有一個由政府預算支持的歷史研究所，它的研究主題單純到近乎不可思議。就是要弄清楚一九五六年，最後被蘇聯派兵鎮壓的革命中，到底發生過哪些事。稍微算一下，革命期間每一天可以分配到一個研究人員。

這看起來真是荒謬，然而如果弄清楚背後的理由，以及思考的過程，我們會發現，真正上演的不是荒謬劇，而是不折不扣的悲劇。

一切要從德國及其納粹經驗談起。我們常常拿德國和日本對比，強調德國人如何勇於面對自己「第三帝國」的歷史，勇於承認二次大戰中屠殺猶太人的恐怖罪惡，並表現出真摯的愧疚與懺悔。不過這樣的對比卻不該使我們忽略了：德國人走到這步，其實中間也是經過許多曲折掙扎的。

戰後初期對西德能復興成為歐洲經濟大國貢獻最多的阿德諾總理，他的態度就是堅決不提過去、不檢討不反省的。德國官方與民間逃避記憶的作法，後來才刺激出一本非常重要的著作，密切利希（Mitscherlich）夫婦所寫的 *Die Unfähigkeit zu trauern*（無法哀悼），書中細數了集體壓抑記憶對一個社會可能產生的重大傷害，在西德引起了廣泛注意與討論。不過這本

書出版，已經是一九六七年的事，距離終戰超過二十年了。

從密切利希的書出版後，西德社會才大轉向，十幾二十年中，「當代史」的研究成為西德的大顯學，而「當代史」方向，自然主要指向納粹時期。一九八九年，柏林圍牆一夕傾塌，接著快速發展成兩德統一，統一之後，強調「當代史」的德國史學界，突然找到了納粹之外另一個新主題，那就是前東德的共產政權興衰過程。

在這樣的背景下，開始了前東德的記憶總清算，受到納粹經驗的教訓，德國人最強調一定要披露一切，一定要弄清楚在那個極權時代裡，誰對誰做了什麼樣的事。於是在短時間內，共黨時代祕密警察的資料公開了，每個人都可以申請看自己的檔案，還可以知道當年誰是「抓耙仔」，告密了什麼內容。

從「當代史」角度看，這是歷史的正義。可是對活在那個社會的人來說，卻是恐怖的撕裂與傷害。人與人之間的關係徹底破壞，記憶成了最黑暗的陰影，籠罩在每個人心頭。

德國這種作法，對同為蘇聯華沙集團的其他國家，造成了很大的壓力。他們不能把臉搗起來，完全不看過去；然而德國人的真切痛苦，又看得他們目瞪口呆、驚心動魄。

在壓力中，匈牙利人才想出了這種方法。他們把對「當代史」、對記憶的回溯，全部導向一九五六年，因為那是蘇聯侵略匈牙利，可以把所有過錯推給蘇聯和迎合蘇聯的人，如此就不必去面對更殘酷的匈牙利共黨政權的問題。當然，一九五六還有一個好處，時代久遠，真正該負責的人不是久離人世，就是垂垂老邁了。

　　歷史，真是個難題。逃避不是，有時莽撞地去揭穿也不見得對。怎麼處理，需要高度智慧。

上帝排在第五名

時勢造英雄。換從另外一個角度看，有些時代有些態勢，特別適合塑造出英雄與英雄崇拜。

我記得一九七○年代初期，還不到十歲的我，曾經對西洋棋產生過極高度的興趣。我們全家沒有其他人知道西洋棋該怎麼玩。我原來也不知道。後來我自己學懂了西洋棋的規則，一方面靠棋盒裡附贈的簡單說明，一方面靠報紙。

千真萬確，當時的報紙上幾乎天天有小方塊教人家怎麼下西洋棋。甚至還教了好多名稱奇特怪異的布局手法。我印象深刻，布局的關鍵在棋賽第一步動哪個兵卒，先動皇后前面的有一種名稱，先動國王旁邊騎士前面的有另一種名稱……

我不知道在那個時代，除了我之外，還有誰看這些與當時社會顯得如此格格不入的西洋棋專欄。我看得如痴如醉，迷得不得了。

長大以後才瞭解，為什麼那個時代的台灣會忽然颳起這一陣小小的西洋棋風。因為美國正在流行下西洋棋。美國為什麼棋王賽。那場棋王賽的對手，一邊是傳統西洋棋霸主——俄國——的斯帕斯基（Spassky），另一邊則是美國崛起的耀眼明星——費雪（Bobby Fisher）。

　　長大以後我才讀到這場大棋賽的資料，明白了棋賽多麼符合當時的冷戰局勢。美蘇兩強面對面一決勝負。美國人尤其感到興奮，因爲從來沒人相信，美國人有這種腦筋與技巧，足以在西洋棋的領域挑戰俄國棋王。這場棋當然備受矚目。在壓力影響下，在飽受干預的情況下，費雪一度想要退出棋賽，還勞動了當時的美國國務卿季辛吉介入協調折衝。

　　棋賽的結果，費雪打敗了斯帕斯基。一個新的英雄與英雄崇拜就此誕生。費雪和西洋棋最紅最熱的時候，任何沾得上邊的人與物也都紅了。連負責轉播棋局的棋士Shelby Lyman也紅了。據說有一次Lyman在紐約曼哈頓的餐廳裡吃飯，巧遇好萊塢明星達斯汀・霍夫曼。霍夫曼主動過來跟Lyman打招呼問好，Lyman還故意耍酷回霍夫曼一句：「我認得你嗎？」

　　大家都認得費雪，大家都崇拜費雪。家長們紛紛把小孩送去學西洋棋。美國報紙上成篇累牘都是和西洋棋有關的消息。怎麼下棋、棋賽的歷史、曾經出現過的棋王、五花八門的棋賽傳奇。很多那個時代長大的美國小孩，都記得一個叫施泰尼茨（Wilhelm Steinitz）的人，實力超強的十九世紀傳奇棋王，同時也是個瘋子。他宣稱自己下棋下贏了上帝。更奇的是，很多人相信如果眞有機會看到施泰尼茨和上帝下棋，施泰尼茨應該會贏。

　　美國的狂熱，藉著冷戰結構，越過太平洋感染到台灣來，竟然就莫名其妙地影響了當時的一個台灣小學生。我當然沒有把棋學好，可是那個氣氛殘留在我身邊的某個神祕角落裡。再過十年，我接觸到了與西洋棋及費雪有關的文獻（已經成了歷

史文獻），才啓動了記憶與感受，開始了遲來的對於費雪的興趣，進而崇拜。

歷史上最偉大的棋王是誰？我的答案是費雪。Garry Kasparov可以排第二名。被費雪打敗的斯帕斯基排第三。十九世紀的瘋子施泰尼茨第四名。至於上帝，勉強可以算第五名吧。

數學答案與外星人

在所有的學術領域裡，數學顯然是最戲劇性的。納許的故事，以及贏得奧斯卡金像獎的電影《美麗境界》，再次提醒了我們這件事。

數學比所有其他學問，都更偏重，甚至依賴直覺、靈感與天分。數學界的諾貝爾獎——費爾茲獎(Fields Award)每四年頒發一次，而且規定得獎者的年齡必須在四十歲以下。這樣的規定，並沒有讓費爾茲獎變成「新人獎」；不，這規定背後反映的是數學界根深柢固的年齡概念。

上了四十歲以後的數學家，就做不出什麼了不起的成績了。四十歲是最寬鬆了的上限。換從另一方面看，數學界大家都相信：如果在四十歲前沒有完成什麼驚天動地的貢獻，這個人我們從此也就不必再注意他了。

其他學科多多少少都有對年資、對經驗的尊重。其他學科多多少少都有「沒功勞也有苦勞」的獎勵辦法。其他學科裡打滾打混的人，至少總可以在心中留著一份自我安慰的預期：「五年十年後，我可以做出更好更了不起的成績來！」

數學卻沒有這種心理安全墊。數學家們面對的是和極有限時間競賽的絕對壓力，一切都得趁年輕，時機一逝，直覺與天

分能力就開始逐年、甚至逐月逐日遞減。

　　數學界充滿了少年天才的傳奇故事。十幾歲的小朋友，誤打誤撞不小心就解出了難倒多少專家教授的超難題。這種故事的原型是高斯的故事。流傳久遠的故事說他高中時在學校圖書館讀到一本專業數學期刊，看到裡面提及一個難題，不小心就把它解出來了。高斯寫信給那本期刊，以為那是專門給中學生看的教育讀物！

　　真正了不起的數學家幾乎都不是靠什麼了不起的訓練，他們往往一眼先看到了答案，然後才慢慢找到理由。他們所受的訓練，其實只是幫他們將答案解釋讓別人了解、接受，而不是去尋找答案。所以我們也會看到許多有趣的例子：答案早就在那裡，卻遲遲找不著理由；或答案是對的，但證明過程錯誤百出。

　　擁有這麼強大的直覺能力，帶給數學家們另一層悲涼的戲劇性。世俗的證據、邏輯，無法挑戰、質疑他的直覺。他對直覺過度自信、過度依賴，使他很容易走上和平常人很不一樣的路。

　　我們都活在被種種世俗常識修正、限制的環境裡。所謂「健康的心靈」，其實就是壓抑自我、尊重常識。會壓抑自我、尊重常識，則是因為在社會化過程中，我們慢慢學懂了：自己的感覺感官，大部分時候沒那麼正確，常常禁不起反覆測試考驗。

　　然而強大的直覺卻領著數學家們衝過常識的羈絆。他一再在心版上看到數學答案，別人看不到的神祕訊息；又一再地最

終證明那答案是正確的。有一天他在心版上看到外星人的信號，雖然其他人都看不到、都不相信，就無論如何教他放棄他主觀的信念了。

這是數學家的悲劇。這就是納許的悲劇。

用死人指甲堆造的戰艦

波赫士曾經用他自己的方法解讀塞萬提斯的《唐吉訶德》。

對於所處環境的單調、無聊萬分難耐的塞萬提斯，幻想出一個奇妙、荒誕的世界，那就是唐吉訶德的世界。然而在那塞萬提斯的異想世界裡，唐吉訶德從頭到尾最認真最努力做的一件事，是去幻想出另一個其實不存在的騎士時代，耽溺並帶點自棄地堅持活在遍地都是敵人，隨時要仗劍策馬應戰的虛像裡。

可是波赫士提醒我們，在作者與作品的雙重異想逃避之外，還存在著歷史塑造的另一層矛盾與反諷。幾個世紀過去了，當年塞萬提斯亟欲遁逃離開的十七世紀西班牙社會與文化，對我們而言，竟然比他去詭想設計出來的小說，或小說裡唐吉訶德瘋顛中看到的妄境，還要陌生、還要多采多姿。

藉由《唐吉訶德》的成名流傳，唐吉訶德那個不存在的景域，深深植入人心，成為西方文化裡的共同語言與共同記憶。相反地，刺激塞萬提斯遁逃入虛構故事的現實，反而因為疏遠與遺忘，而在被挖掘出土時，閃現了異邦異國絢麗的光澤。

波赫士沒有明說，不過我相信他要點出：如果今天有一個人，像當年的塞萬提斯般，想要藉由某種心靈想像的時空跳

躍，來擺脫太過熟悉的平凡瑣碎日子羈絆的話，那他與其求助
於《唐吉訶德》，說不定去翻閱十七世紀的西班牙史，還會更有
幫助些。

波赫士巧妙的對比，點出了一項閱讀歷史的重要方式，也
是我們在台灣，受到無趣的歷史教育限制，最不容易從歷史中
獲得的樂趣。那就是在歷史中尋找到，甚至是巧遇稀奇古怪不
可想像的人與事與物。它們的價值，就在不可想像、難以解
釋，那種單純的異質性、單純的陌生感，衝擊我們、刺激我
們。

我們太習慣、太喜歡在歷史裡尋找教訓。要形成教訓，就
得去「同化」歷史人物與歷史故事。把不一樣的異質剝開剝
掉，剩下一小部分和我們當前現實相同的、可以呼應的。我們
也太習慣、太喜歡給歷史裡的稀奇古怪人事物解釋，用自己現
實既有的價值框架去做的解釋。

為什麼非得這樣不可呢？波赫士最感興趣的歷史題材之
一，是冰島的創建史詩。他甚至能讀冰島語。在南半球的布宜
諾斯艾利斯，波赫士不只讀，還懷想過替冰島的古代英雄們寫
詩。至少有三首在不同時期寫的關於冰島的詩，都出現了同樣
一個句子：「用死人指甲堆造的戰艦」。顯然對波赫士而言，再
遙遠不過的北極圈邊的冰島，最迷人的特色之一，就是有了這
樣不可思議的詭奇傳說：「用死人指甲堆造的戰艦」。

死人指甲如何堆造戰艦？為什麼會出現如此與我們現實經
驗全然不符的傳說？傳說怎麼形成或怎麼誤傳的？……這些問
題都不重要，重要的是從傳說裡直接具象浮顯出來的神祕景

致，在冰山隱伏的地平線上，緩緩駛來黑幢幢的冰島英雄們的
戰艦，那不應該存在的死人指甲堆造成的黯影⋯⋯

「解放者」的代價

　　一八八一年三月一日，當時的俄國沙皇亞歷山大二世的馬車在聖彼得堡街上行駛，突然有一枚炸彈從人行道上丟過來，準準地在馬車底下爆炸。馬車被炸得四分五裂。不過因爲炸彈的威力不夠大，馬匹、趕馬車的車伕、旁邊的一個護衛都受了傷，炸彈針對的對象亞歷山大二世卻毫髮無傷。

　　沙皇跳下馬車，看望了一下周遭的情形，慰問受傷的人，然而就在這時候，一個人跑過來，一邊高喊著：「你先別感謝上帝──」，一邊又投來另一枚炸彈，這回炸彈落在沙皇兩腳之間炸開來，亞歷山大二世的兩條腿瞬間被炸掉了、肚皮裂開、一隻眼睛被炸瞎了，他講的最後一句話是：「回皇宮去，死在那裡。」回到皇宮，受了一陣痛苦折磨，亞歷山大二世才斷了氣。

　　亞歷山大二世該死嗎？作爲一個擁有絕對權力的沙皇，可以騎在人民頭上爲所欲爲，亞歷山大二世當然有千萬個該死的理由，不過對照在他之前在他之後的幾位沙皇，他其實壞事做得最少、好事做得最多。

　　最諷刺的是，三月一日當天，亞歷山大二世遇刺前，他才簽署了文件，允許成立議會，釋放了部分的絕對王權。更早的

時候，他還下令解放農奴，而且多次發表最接近西方自由主義
精神的政治主張。歷史上他被稱爲「解放者沙皇」。

　　然而他卻也是經歷過最多次暗殺事件的沙皇。在他最終遇
刺身亡之前，紀錄有載的就有其他七次行刺未遂。其中還包括
了最是大費周章的一次，俄國革命分子刻意在鐵路旁買了一間
房子，開挖地道通到鐵軌下方放置一枚大地雷，卻因爲沙皇的
火車走了另一條路線，所以沒有得逞。

　　儘管多次遇刺，亞歷山大二世在三月一日馬車炸裂之後，
下車來仍然溫和地詢問了投炸彈的人是不是也被炸死，有沒有
受傷有沒有被捕。然而這樣一個最開明的沙皇，卻遭遇了如此
凶殘的命運。

　　這其實不是偶然，而是「解放者」這個身分必然帶來的。
由上而下將威權體制鬆綁的人，在後代歷史裡毫無例外一定會
受到肯定與稱頌，不過在當代，卻往往成爲整個社會的仇恨焦
點。在「解放」的過程中，既有特權的享有者當然會恨他恨得
入骨。在「解放」的過程中，他同時也解放了原本被壓抑、被
欺負的人的權利期待，他還解放了一股要求徹底公平正義的龐
大呼聲，這些期待這些呼聲，很快就會高過他眞正願意眞正能
夠做的改革，他們因此也恨他做得那麼少、做得那麼不足。於
是「解放者」成了全社會最不受歡迎的人。

　　俄國的悲劇就在亞歷山大二世遇刺，使得接任的亞歷山大
三世及尼古拉二世，都絕對不願對自由主義再有任何一點讓
步。亞歷山大三世登極詔書中，就明白宣示「對於專制政體的
權力和權利懷有信心」，而且他也以行動表達了這份信心。結果

是俄國延長了四十多年的專制王權，終於爆發了全面破壞性的大革命，付出了慘痛代價。

我們能學到更高的智慧、更寬容的態度，來對待將威權體制由上而下鬆綁的人，替自己省下許多災難後果嗎？

躲在蒙娜麗莎背後的史家

　　巴黎羅浮宮最有名的一幅畫，當然是達文奇的《蒙娜麗莎的微笑》。在羅浮宮完成現代化整建之前，巴黎人最喜歡嘲笑破舊的羅浮宮裡，參觀的人平均花半小時找《蒙娜麗莎的微笑》，再花一小時排隊上廁所，剩下十分鐘拿來看羅浮宮內的其他收藏品。

　　美國國家畫廊(National Gallery)和羅浮宮頗有些相似之處。相似之一在國家畫廊最受矚目的東廂和羅浮宮最受爭議的中庭金字塔，都出自華裔現代派巨匠貝聿銘之手。相似之二在於，國家畫廊藏品中的首選，也是一幅達文奇的畫作，畫中也是一位年輕女子的肖像。

　　這幅名畫（當然沒有蒙娜麗莎那麼有名）被稱爲《吉妮娃德班奇》(Ginevra de Benci)。一九六七年國家畫廊以打破世界紀錄的高價買下，震驚了藝術市場。

　　這幅畫在藝術史界引起的注意，還勝過《蒙娜麗莎的微笑》。因爲這幅畫是靠著歷代藝術史家前仆後繼的不懈努力，才一步步解決了關鍵問題，首先確定了達文奇的作者身分，接著找到了畫中人的姓名生平，最後竟然連究竟是誰在什麼狀況下要求達文奇作畫的，都有了基本瞭解。這是了不起的學術成

就，而且不像其他知名畫作通常都牽涉許多不明、猜測，這幅畫的研究成果扎扎實實，不容懷疑。

不過如此條件，不足以解釋《吉妮娃德班奇》為什麼那麼值錢，為什麼足以成為國家畫廊的鎮館之寶？更令人好奇的是，為什麼羅浮宮和國家畫廊都給予達文奇的文藝復興時代女士肖像畫那麼崇高的地位？

再考慮一件事，就更神奇了。文藝復興時代義大利產生的畫作當然很重要，而女性畫像尤其在十九、二十世紀被德國、法國、英國以及美國收藏家瘋狂搶購，以至於這類作品今日在義大利境內幾乎已經絕跡了！

會造成這樣的現象，最重要的因素其實是史家布卡德(Jacob Burckhardt)一八六〇年出版的名著《義大利文藝復興時期的文明》。布卡德以他優美的文筆、內斂然而卻驚人的想像、具高度說服力的嚴謹邏輯，將文藝復興時期刻畫成人類歷史上最了不起的時代。而布卡德筆下文藝復興時代的超然貢獻之一，正是一群自信且高貴的女性的興起。

多少人，不管是男是女，因為讀了布卡德的書，而迷戀文藝復興時代的女性精神。他們把從書裡讀到的意義，搬回到達文奇等人的畫作上，讀出了最豐富的訊息。

男性沙文主義者看到了文藝復興時代女性的迷人魅力；女性主義者則看到了蒙娜麗莎與吉妮娃的獨立性格。這些意義，和畫作本身進行了長達一個世紀的反覆映照對話，終於使得這些畫爬上了西方文明的頂峰位置，成為西方價值具體而微的代表。

　　然而，布卡德和他的書卻被遺忘了。就算史家及其史著仍然被供在神殿上，布卡德如何塑造我們對文藝復興女性的想像，這個環節很少再有人記得、再有人提起了。

　　布卡德和他的鉅著，躲在被人朝聖般膜拜的蒙娜麗莎背後。沒有布卡德，老實說，我們不會覺得蒙娜麗莎笑得那麼神祕、那麼美麗。

那場發生在巴黎的騷動

可以讓我再說一次這個強烈的感受嗎？歷史是個不公平的裁判者。到現在我們的通俗意識裡，還有強悍的信念，以為當一切的手段用盡都見不到正義的伸張時，至少我們還有歷史可供依恃。當代當局者眼迷情亂狀況下，沒有辦法下公平的判斷，我們相信後世歷史紀錄會更客觀更公正。

讓歷史做最後的仲裁者，就像讓上帝在最後審判日來下最後仲裁一樣，如果是作為一種信仰、一種心理安慰消解挫折的最後手段，當然自有其功能，不過就是不能太當真太執迷。歷史和上帝一樣，在公不公平這件事上，都是靠不住的。

一九一三年是現代主義運動非常關鍵的一年。這一年史特拉汶斯基的《春之祭》(The Rite of Spring)在巴黎首演，結果巴黎的觀眾在音樂會過程中掀起大騷動，劇院不得不叫警察來才得以維持秩序。這個事件，多麼鮮明、多麼戲劇性地凸顯出了現代主義音樂、現代美學刻意騷動人心、刻意傳導不安的本質，因而也就長期被歷史記錄為現代派歷程中的主要轉捩點。

今天我們聽《春之祭》，我們不會起身騷亂，我們可以靜靜坐在演奏廳裡或家中客廳，把整首曲子聽完。更有意思的是，我們聽史特拉汶斯基其他作品，不管是《The Firebird》、

Petrushka》、《Apollo》或《Symphony of Psalms》，都不會聽到
太激動的音律。相反地，我們感受到一種清冽、專注、近乎幻
滅時的痛苦呻吟，痛苦不是來自迷亂，而是來自清醒，對清醒
的一種悔恨。

　　再檢視一下史特拉汶斯基的生平，我們更會發現，他的經
歷，在所有知名音樂家當中，是最平淡無奇的。沒有耳聾的折
磨、沒有英年早逝的遺憾、沒有永遠求不到的愛情帶來的焦
慮、沒有梅毒攻心的瘋癲……史特拉汶斯基是個一生安安靜靜
在家中創作、一直享受著豐裕精神與物質支持的成功音樂家。

　　一九一三年巴黎的那些人，到底是被什麼騷動了？老實
說，真正引起騷動的主因，應該不是史特拉汶斯基的音樂，而
是同在一個舞台上表演的尼金斯基(Nijinsky)的現代芭蕾舞。那
年史特拉汶斯基三十一歲，編舞跳舞的尼金斯基只有二十三
歲。

　　史特拉汶斯基後來繼續活躍創作到八十四歲，可是尼金斯
基卻在二十九歲就發瘋了；而且《春之祭》的樂譜留了下來，
《春之祭》當年的舞蹈卻從此成了絕響。

　　這兩個因素，使得尼金斯基和他的舞被遺忘了。於是歷史
就把所有的騷動反應，派給了史特拉汶斯基。兩個創作天才聚
在一起才激發的情緒，全由史特拉汶斯基來接收成果。歷史如
此獨厚史特拉汶斯基，絕對不公平，但卻是沒辦法的事實。

空中荒野

　　紐約市，尤其是曼哈頓區，是一個以高度為其極端特色的都會。雖然在「九一一」之後，紐約喪失了最高的地標——世界貿易中心，不過曼哈頓依舊保有了許多幢在建築史上具有不朽位置的經典摩天大樓。帝國大廈、克萊斯勒大廈、奇異總部大樓……而且從往自由女神或愛麗絲島的渡輪回望，曼哈頓南端的天際線，不論白天或黑夜，依舊是最壯觀的。

　　不只是摩天大樓。紐約市還擁有高高懸掛著的橋梁，還有錯綜複雜的高架公路與鐵路系統。難怪紐約作家Adam Gopnik曾經半開玩笑半認真地說：「曼哈頓的考古學是倒過來的，過去並未深埋在地底，而是高高舉上天空，在頂層樓房裡。」

　　高度不只是供留在底下的人仰望，高度還提供了一種不同的視角。大部分的紐約人，從公寓或辦公室的窗口看到的紐約環境，其實都是特定高度產生的視野。正因為那麼多人都自願或被迫離開了地面，所以在曼哈頓正中央（稍稍偏北）才會有那麼一塊大得嚇人的中央公園。中央公園的用意、中央公園的作用，是要讓紐約人擺脫高度的束縛、解除高度的眩惑。

　　可是這樣強烈對比式的安排，產生了一個嚴重的副作用。那就是人們往往忽略了高度，尤其是中等高度，最多紐約人居

住、工作的高度，可能產生的美與意義。

　　還是Adam Gopnik說的：「紐約的半空視景展現著一種奇妙的和平與懷舊特性——不是壯麗高貴的，而是美麗的景致。」

　　有沒有什麼方式可以在以高度為主軸的城市裡，提醒居民高度之美呢？尤其是高度的半疏離產生的特殊寧靜，雖然是假象卻又如此真實，因而激發出某種類似黑白照片般的時間縱深之美呢？

　　紐約人最近找到了一個難得的機會。在曼哈頓下城有一段荒廢了的老鐵路，長度大約有兩公里，寬度在十到十五公尺間，一共有八英畝左右掛在天上的土地。這條高架鐵路過去屬於紐約中央鐵路公司，使用了半個世紀，然而從七○年代後期起就閒置了。有許多次整個高架路段要被拆除，都因為市政計畫、經費、公司重整，甚至單純的人事傾軋而沒有付諸實現。

　　二十多年下來，可以想見高高在半空中的這段路變成什麼樣子嗎？變成了一段奇幻、不可思議的荒野綠地，到處叢生著未經安排、設計的小樹與花草，亂成一團，不過高架的基本人工形式，卻又硬生生地在亂象中增加了同樣奇幻、不可思議的秩序感。

　　愈來愈多紐約人覺得這莫名其妙被存留下來的高度空間，似乎彰顯著某種不可避免的神啟意義，啟發了紐約人與這個城市的高度間可能產生的新關係。於是愈來愈多紐約人參與請命，希望保留這塊曖昧的、不該存在而存在的都市空間。

　　如此重新認識自己居住環境的機會，多麼迷人！即使像紐約這樣一個早已定型了的老都市，我們發現，都還是玩得出新

把戲來的。

　　就看有沒有人不斷換用不同的眼光挖掘、觀察我們自己的空間。

輕視現實的人，遭到了現實的報復

　　吉亞柯梅蒂（Alberto Giacometti）出生、成長在瑞士的偏僻小村莊裡。一九二二年，剛滿二十歲，他才來到當時世界的藝術中心——巴黎。巴黎流行的畫風正從現代主義轉向超現實主義。布列東（André Breton）宣言式的文字吸引了許多人注意，也吸引了許多人自命為他的信徒，達利(Dali)和米羅(Miro)則用他們的優異作品逼人家不敢對新冒出來的超現實主義嗤之以鼻。

　　如夢般的作品，也如夢般（至少是佛洛伊德在《夢的解析》裡告訴我們的）揭露出被壓抑、被扭曲的欲望。這是超現實主義的力量所在。佛洛伊德及其精神分析，試圖透視、還原夢背後所藏的欲望實貌，超現實主義雖然從佛洛伊德那裡汲取了豐富靈感，不過超現實主義者聰明地發現：讓夢停留在欲望的暗示、甚至是欲望的謎，然後去記錄、甚至虛構創造夢境般的畫面，比精神分析更有趣更深邃。視覺的畫面同時是現實（夢的現實）、同時是謎、同時是謎的揭露與答案的隱藏。從來不曾有人能夠在有限的畫面裡，放置進這麼多層次、近乎擁擠的意義。

　　吉亞柯梅蒂一到巴黎，立刻成了超現實主義的健將。甚至連來自西班牙，年紀比他大、巴黎資歷比他深的畢卡索，都曾收拾起傲慢，去向他請教。畢卡索果然眼光不錯，因爲吉亞柯梅蒂最重要的本事之一，就是解決表現上的問題，他似乎總是能快速找到呈現出自己夢境意念的表達技法，他的作品裡充滿了令人驚嘆的巧妙發明。他繪畫、他雕刻、他寫作，而且他讓這三種表現互相穿透，穿透現實到達夢境。

　　那個時代，吉亞柯梅蒂給人的感覺是他擁有無窮的表現巧思手法，所以他總是能表達出別人無法或不敢碰觸的題材，所以他才能追隨超現實主義理念進入潛意識的祕密裡。然而在巴黎混了十幾年後，一九三五年，吉亞柯梅蒂突然從藝壇上隱退了，有整整十年時間，吉亞柯梅蒂如遊魂般只存在於巴黎人的傳言裡。

　　那十年，吉亞柯梅蒂試圖解決一個最困擾、後來困擾他一生的難題。他可以表現千奇百怪、別人無法捕捉的影像與意義，然而他覺得自己就是不能忠實再現眼中所見的現實樣態。眼前的現實，或應該說眼中的現實，現實在眼裡激發出來的感覺情緒，竟而比夢境還難傳達。

　　他試了又試。幾乎完全放棄了超現實主義。吉亞柯梅蒂一心一意只想複製一個現實景象在心裡製造的感覺。寫實只是模仿了外在的樣子，卻無法保留景象內在的意義。而對現實的扭曲又必然同時扭曲了意義。到底要怎麼辦呢？

　　年輕時最能解決技術問題的吉亞柯梅蒂，在這裡絆倒，而且摔了很重很重一跤。晚年接受訪問時，吉亞柯梅蒂一再申

言，他從來不曾真正找到訣竅。沒有完成過真正能複製、保留現實經驗的作品。從一九三五年以後，作品都是未完成的、都是試探中的。

曾經輕視現實的吉亞柯梅蒂，遭到了現實的報復。還好他夠誠懇面對這報復之痛，才能夠在早年超現實主義作品之外，留下更多不同風格的未完成嘗試，讓我們欣賞，也讓我們感嘆思索。

文明的加減算法

一九四三年，二次世界大戰的歐洲戰場，出現了第一個突破性的變化，讓飽受戰火摧殘的人們，終於有理由相信：戰爭不會無窮無盡的延續下去。那就是盟軍攻進了墨索里尼的義大利。

盟軍進入義大利，除了靠武力之外，當然也要靠反法西斯的精神動員。他們依賴來宣揚法西斯「邪惡本質」的利器之一，就是西隆尼(Ignazio Silone)的小說。

西隆尼原本是個活躍的共黨分子，還曾經一度負責義共在歐洲其他各地的聯繫發展工作。不過他後來厭棄了共產黨，一九三〇年時，身體健康持續惡化的情況下，醫生宣告他將不久於世，流亡在瑞士的西隆尼開始提筆寫小說。西隆尼寫作的情境，帶著濃厚的悲劇意味，藉著小說裡描寫的那些故鄉人物、那些童年往事，他才有辦法獲得一點自欺的安慰，覺得自己不至於在完全陌生的異鄉寂寞地逐步死滅，死也要死在故鄉人物的魅影環繞中。

小說寫完了，西隆尼的健康竟然恢復了。更讓他自己想不到的，他拿來替自己送葬的這闋安魂曲，剛好在西班牙內戰的特殊時機出版，不只被批評家譽為對法西斯主義最好最深入的

分析描繪，而且成了一本歐洲的暢銷書。西隆尼後來再接再厲，又寫了另一本同樣叫好又叫座的小說《麵包與酒》，寫出了義大利農民的靈魂苦惱，以及法西斯主義對他們的利用與殘虐。

這兩本小說，被盟軍大量印製散發（不過沒有徵得西隆尼同意，也沒付他版稅），更進一步奠定了西隆尼反法西斯英雄的超然地位。戰爭結束後，西隆尼又出版了自己共黨時期的回憶錄，使他成為極少數在拆穿共產黨與法西斯信仰神話上，都有卓越貢獻的作家。

然而這樣一位作家西隆尼，在過世二十多年之後，卻被發現曾經擔任過義大利法西斯政權的祕密線民。按照陸續出土的檔案資料看來，西隆尼在成為作家之前，長期和祕密警察合作，背叛出賣了他當時信仰、服務的義大利共黨。這些資料出土，大家才恍然大悟，為什麼那幾年中，義共組織屢遭破獲，只有西隆尼所屬的單位總是幸運逃過一劫。

這樣驚人的資料，引起了義大利知識圈激烈的反應、爭議。有人無論如何不能也不願接受這些資料，Indro Montanelli甚至激烈到表示：「即使西隆尼從墳墓裡復活，親口承認他幹過這些事，我也不信！」有人強烈質疑去翻出這些資料的學者的陰謀動機，也有人想盡辦法解釋西隆尼一定是迫不得已的，他這樣做其實無害於個人品格的完整。

有人憤怒地認為，半個多世紀來都被西隆尼騙了。西隆尼人品這麼可鄙，他在小說裡建構的反法西斯英雄功蹟，也就不值一文了。

不過卻也有人同情地主張，瞭解西隆尼這段陰闇背景，我們更能體會、珍惜他小說裡展示的反法西斯視野。那是他以自我敗壞、懷疑及救贖掙扎，好不容易才換得的。而且他生命中曾經沾上的道德污點，已經靠他作品中發揮出的超越性道德原則光芒，抵銷掉了。從社會與文明的角度看，西隆尼年輕時的背叛與罪惡，竟然換來那樣銳利而又感人的傳世作品，善與惡相抵，當然划算。

我欣賞最後這種觀點。一種寬容且眞正珍惜文明成果的態度。

殺了國會議員的記者

　　一八八七年，美國《路易斯維爾時報》刊出了一篇報導，詳細描述了當地選出的眾議員William Taulbee的婚外緋聞。這篇由記者Charles Kincaid具名撰寫的報導，不只指出Taulbee和專利局一名年僅十八歲的女職員偷情，而且還悉心追蹤了兩人為了避人耳目，怎樣迂迴繞路，去到幽會的地點。

　　報導見報，眾議員當然很生氣，氣得不得了。不過他拒絕了報社的採訪，也不願做任何說明，更不解釋報導是否正確。他選擇表達憤怒的方式，是不斷持續地騷擾辱罵寫報導的記者。

　　整整三年的時間，逮到機會Taulbee就當面臭罵Kincaid。用的語言當然不可能溫文儒雅。而且因為Kincaid感染過猩紅熱，身體變得非常虛弱，Taulbee就更是囂張，從肢體衝突升高到索性痛毆Kincaid。

　　一八九○年二月二十八日，悲劇發生了。忍無可忍的Kincaid主動到國會山莊找Taulbee，在馬車入口附近，直接掏出手槍來，對著Taulbee的頭部開槍。Taulbee瞬間癱倒在樓梯上，送醫後推延了十一天，仍然傷重去世。Kincaid則是當場被捕，他也沒有打算逃跑，乾脆地承認：「我殺的，是我殺的。」

這是美國國會山莊內驚人的血案，尤其被害者是堂堂國會議員，而凶手竟然是記者。不過更驚人的事還在後頭，一八九一年四月八日，華盛頓特區法院中，陪審團就本案做出判決，判Kincaid「無罪」。

不可思議的判決，卻充滿了象徵意義。象徵美國政治最敗壞最敗壞的時刻，政治人物，尤其是國會議員不受任何道德或法律規範，橫行霸道，讓美國一般民眾忍無可忍。政治人物的形象壞到不能再壞，壞到他們在光天化日之下被謀殺了，凶手在法院裡面對陪審團，都能立刻取得同情，案子先贏了一半。

象徵著美國的政治非改革不可了。雖然在民主相對無效率的架構下，改革需要很長的時間醞釀、推動，不過類似這樣的案子，讓所有人，包括政治人物、國會議員在內，清楚知道：非找到新的政治邏輯與典範不可了。

最荒謬的案件，給最黑暗的時代，帶來了一線警醒的光線。開始有愈來愈多社會菁英思索政治改革的問題，也就有了新一代政治人物吸收他們開創出的新答案，塑造自己不同的使命。新一代政治人物逐漸成熟，才有了老羅斯福，才有了威爾遜，在他們手裡，美國政治逐漸擺脫了十九世紀的霸道、野蠻，也才開啓了民主能夠成為二十世紀政治主流的新頁。

當然並不是說Taulbee和Kincaid對人類的民主發展，有什麼了不起的貢獻，而是他們的過激、荒謬行為及其結果，最具體地彰顯了那個時代；也最有力地說明了：在所有過激、荒謬行為背後，都潛藏著更深刻也更恐怖的龐大社會集體病症。

這點教訓，我們顯然不能不學。

蒙古的草原民主

　　十年之間，兩個亞洲國家出乎意料地完成了民主轉型。一個明火執杖大張旗鼓，在民主化過程的每一階段都有重大的喧噪事件，引來了國際媒體高度注意與密集報導。另外一個卻靜悄悄的，幾乎沒有發出任何聲音，突然之間就浮現了獨特的民主機制。

　　那個嘈雜熱鬧的，當然就是我們台灣。至於那個靜悄悄的呢？則是遠在北方大漠的蒙古。

　　蒙古的民主成就，無可置疑。九〇年以後，蒙古已經順利經過了三次總統大選，兩次政黨輪替，每次選舉的投票率都在百分之八十左右，更重要的，去觀察選舉的外國中立團體，都沒有發現作弊、買票或暴力威脅控制等嚴重選舉問題。

　　這是個了不起的成就，這是個值得讓人驚訝的奇蹟。評論分析家們提出了許多解釋。一個重要的因素應該是游牧部族的傳統，向來就是強調共治、協商的。大漠那麼大，誰也強迫不了誰一定要在哪個系統下過日子，不高興不爽的人總是可以帶著自己的牲口、蒙古包走得遠遠的。另外一個重要原因是沙漠生活的人，對於大變動習慣於忍受、調整。畢竟他們每天要應付的天氣，溫差一下子可以高達攝氏四十度，這種大自然的折

磨都過得來了，還有什麼不能調整接受？當年蘇聯把他們捏成了共產主義的模樣，他們也沒怎麼反對抗拒。

蘇聯統治還留下了一項重要遺產，那就是使得蒙古人口識字率提升到近乎百分之百。這當然就大大降低了宣傳民主所遭逢的阻力，也大大縮短了一般蒙古人學習運用民主權利的練習時間。

不過二○○一年總統大選的主軸主調，似乎在提醒我們，還有另外一項因素，大力促進了蒙古的民主化。在那場選舉中，反對黨的訴求是權力平衡與加速私有化，可是他們的政見被執政黨更簡單的口號打敗了。執政黨的目標只有一個：「爭取更多外援」。選舉中決定性的事件，正是選前四天，包括世界銀行、亞洲開發銀行在內的國際組織，同意撥給三億三千萬美元的新年度援助。在這個消息協助下，現任總統囊括了百分之五十八的選票當選連任。

這樣的發展中，有著令人不安的訊息。蒙古的民主改革之所以快速、順利，會不會因為權力根本不在這裡？蒙古的民主所能決定的，比起世銀、亞銀、國際貨幣基金（IMF），其實微不足道，所以才沒有激烈的鬥爭、對抗與拉鋸？換句話說，蒙古人有了民主，但他們的民主並不能真正決定自己的國家走向、不能真正決定國家的發展策略，他們能夠選的其實只是去和幕後權力大老闆——世銀、亞銀、國際貨幣基金——交涉談判的代表而已？這樣的民主算民主嗎？

這種隱憂，不只存在於蒙古的民主，事實上是今天思索民主問題，必定要問的。會不會因為民主所能決定的事愈來愈不

重要，我們才愈來愈容易獲得民主的滿足？這種滿足，會不會反過來成為我們行使自主權力的陰黯陷阱呢？

青年奪權的「五四」時代

　　徐志摩的名文〈我所知道的康橋〉，開頭第一句話，就採取了一種歷盡滄桑的感慨腔調：「我這一生的周折，大都尋得出感情的線索。」然而事實上，一九二六年此時的徐志摩，才剛滿三十歲，光從年齡上看，沒有多值得滄桑感慨的道理。

　　不過如果檢視徐志摩的年表行歷，我們倒也不能把這份滄桑感慨，完全看作是詩人單純的浪漫想像投射。因為這短短三十年光陰中，徐志摩已嘗過了舊式婚姻、新式精神戀愛、離婚、失戀、對抗社會強大批評壓力的另一次愛情與婚姻。尤其是從一九二二年自英返國後的四年中，他在「五四」的氣氛下，迅速成為全中國最知名的作家之一，參與了「文學研究會」，在《努力周報》上撰文抗議北洋政府、創辦了「新月社」、發表大量的散文與詩，陪同泰戈爾遊歷中國，還翻譯了許多外國的作品。他甚至還遠行到莫斯科、柏林、巴黎、倫敦，旅行回來後到北京大學擔任英文系教授，同時成為全國性大報《晨報》副刊的主編……

　　當然從另外一個悲劇性預示的角度來看的話，我們會記起來，一九二六年離徐志摩因飛機失事而突然轟然走向生命終點的一九三一年，只剩下五年，難道是他感受到了這種時光迫促

的追逼，以是不免滄桑與感慨？

　　徐志摩之所以為「五四時期」最重要的傳奇，一個原因正是他在最短時間內放散出最燦麗的生命光芒，徹底燃燒完全發揮，然後在中年與老年躍步而至悄悄侵蝕之前，以最戲劇性最激烈的方式先行落幕消失。

　　這是中國歷史上少見的青年世代淋漓盡致大演出，因為「五四」的精神，就是青年奪權、就是青年革命。在新思潮的武裝、鼓舞下，一波又一波的運動力量，匯聚在推翻舊式年齡、世代權力劃分結構的焦點上，製造了大騷動。在「五四」之前，在舊中國，生命歷程被視為一條不斷增長成熟度的單行道，活得愈老，生命的合法性、分配得到的權力就愈多。活得愈老，就有愈高的位置可以發言、訂規則、塑造真理。活得愈老，理所當然應該得到最多的肯定與尊敬。

　　「五四」的衝擊，除了中西文化的對峙之外，其實還有老少間的緊張。「五四」時期的重要健將——魯迅，他的精神當然昂揚激越、他對西方的認識擁抱亦絕不下於其他人，可是終其一生，魯迅一直和新文化圈無法完全坦然交心、無法水乳交融，其中一個原因就是他自覺到年齡的距離，他比一起搞文化革命的人都老一點，他又比一起搞文化革命的人都多清楚舊社會舊式人物一點，所以他一方面沒辦法像其他人那麼天真樂觀，另一方面也焦慮顧忌自己沒辦法得到其他人的充分信任，這樣造就了魯迅悲觀憂鬱的獨特氣質。

　　「五四」時期的最高峰，檯面上最耀眼的明星，幾乎都是二十幾歲的青年。不只徐志摩如此，胡適也是三十歲之前就當上

了北大文學院院長，顧頡剛、劉半農、傅斯年、錢玄同、朱湘、郭沫若、茅盾、鄭振鐸……個個都是成名趁早，個個都躊躇滿志。

這是「五四」獨特的歷史意義。不過「五四」開拓出來的「世代奪權」氣氛，就像他們喊出來的「德先生」、「賽先生」口號一樣，沒有眞正在社會上生根，沒有延續下來成爲新中國的社會基調。更重要的，他們只在文化領域短暫奪得了權力，卻無力亦無心進取政治和經濟的權力。

蔣介石和毛澤東都是在「五四」開創出的「青年合法性」基礎上取得大權的。可是他們一旦奪權成功，就迅速而有效地封閉了比他們更年輕的後起之秀向他們進攻的路徑。於是權力核心就一步步隨著他們而老化。權力智慧的優先選擇，也隨著他們年歲增加而不斷修正，當蔣介石四十歲時，沒有人敢質疑四十歲的領導人物太老還是太年輕；到毛澤東七十歲時，也沒有人敢勸他逼他把權力放出來給四十歲或三十歲的人。「世代奪權」的動力就此戛然而止。

八十年後回顧「五四」，在今昔之間，讓我們凜然警覺的，其實正是這種「世代奪權」氣氛的捲土重來。不管在台灣在香港在新加坡，二十幾歲三十歲的人漸漸擺脫了被視爲孩子被呵護被訓誨教導的角色、地位，開始有了他們自己的獨立生活空間、文化價值，甚至他們自己的英雄傳奇。

不過八十年後的青年英雄，不再是留學歐美受西方浸染敢愛敢離婚的浪漫詩人，而是一批批靠電子網路事業快速致富的高科技新貴。八十年後青年取得的優先權力，也不是文學、思

想、文化上的解釋權，而是經濟領域裡的金融與管理權力。

　　和八十年前的「五四」相比較，青年權力高漲，威脅到前行世代的背景，都是新興事務的衝激。八十年前，民主、科學的抽象概念，自我解放的浪漫情懷，個人意識的無限發展承諾，衝垮了舊中國的舊典範，在摸索新典範的混亂局面裡，受到舊典範拘束最少的年輕人，就取得了特殊的有利位置。今天網路概念、多媒體形式與內容產業，也是在短時間內挑戰了既有的建制，於是逼得學新東西學得不夠快的老人家們，一時手足無措。

　　不過八十年前「五四」文化衝擊的歷史經驗，卻也應該提醒我們：網路所開放出來的世代奪權空間，究竟是一時的過渡，還是長久的新典範浮現的前奏？這樣的世代權力混亂中，除了塑造了一批年輕新富之外，對於整體社會人際關係、政治安排、社會運作乃至文化藝術形貌，會如何影響改變呢？

　　讓我們一起來認真思索。

時間的神祕，神祕的時間

時間是人世最神祕的東西。沒有時間，一切都將凝止不動，就算繼續存在著空間，也沒有了任何意義。缺乏時間的第四維，三維空間裡不會有任何移動，沒有活動也就沒有了所有的可能性。

時間一旦發動了，至少在我們目前的科學知識裡看來，就是單向的發展。它不斷地往前奔逝，絕不回頭，也絕對沒辦法回頭。

可是在時間如此決絕的單線邏輯裡，潛藏了一樣複雜、麻煩的變數。那就是人類的時間意識。人類的時間意識，當然是從物理的時間裡衍生出來的，但卻不完全等同於物理時間。

在物理時間中，我們只能活在立即當下。可是意識超越了這立即當下的範限，人類不只存有回歸逝去時光的記憶，人類還會向前預期將來而未來的時間裡，會發生什麼、該發生什麼。

物理時間裡的當下立即，對人類而言是不可解也不必解的。因為每一個無數的當下立即，只有串接成「過去—現在—未來」的連續體時，才能被我們所掌握。我們需要過去的累積，以便體認、敘說現實到底在發生什麼；我們更需要對未來

的期待，以便評價目前的狀況，也才會對眼前閃逝的事物，產生情緒。

猶太古諺：「人類一思考，上帝就發笑。」這句話流傳既久且廣，產生過許許多多的解釋。其中一種解釋是：人類只能在有限的認知資料裡，依照極其微弱的能力來考量意識、策畫下一步。人類所思量的，看在全知全能上帝眼裡，當然是可笑的。就像在面對一隻螞蟻，準備要伸出指頭把它撚死前，如果我們可以知道螞蟻在說：「等等，我得想想，我得看看到底怎樣做才是最好的？」我們恐怕也難免會失笑。因為螞蟻再怎麼思考、不管做怎樣的決定，都逃不出我們對它命運的操控。

可是不管上帝笑不笑，人類就是思考。用明知有限的過去記憶與未來預測，隨時在進行思考。因而人類的思考，尤其是對時間的思考，必然是價值的思考；人類對時間的思考，也必然展示出高度的混亂、歧義特質。

當我們試圖去想像未來會如何或未來該如何時，其實我們已經在判斷。不只是判斷什麼是對、什麼是錯、什麼是好、什麼是壞，而且還在判斷：怎樣的時間感才是正確的，事物的緩急輕重應該如何安排？

一個社會究竟該往哪裡走？這是我們經常在問的問題；可是我們卻很少認真地加進時間因素，明白地問：這個社會應該用什麼樣的步調速度，朝什麼方向走多遠？

加入時間因素之後，我們發現：許多判斷的視野都將改觀。

尤其在政治上，尤其在牽涉到眾人具體生活運作的政策

上，更是如此。集體事務能否成功，很大部分取決於集體預期。然而一般人的預期，都是有時間遲速考量的。對的事、對的方向，如果給了一個太遠的時間允諾，大家不覺得有適當的緊張感，這種政策很容易被擱置或被遺忘。擱置、遺忘的結果，就是政策成爲一時的心理幻夢或藉口，只是拿來安慰、平息爆發的焦慮不安全感。

反過來看，政策如果來得太遲，不管是沒有給出足夠的執行時間，或者政策針對的現象積重難改，那也不容易凝聚足夠的集體支持。這種急就章、急驚風式的政策，更糟的是，如果強行推動，還很可能帶來嚴重的後遺症。最常見的狀況就是刺激出兩極化的情緒反應，一邊爲了在最短時間內看到成果，爭取鐵腕權力；另一邊則被激化動員死力拒斥，撕裂形成，很難彌縫。

在時間的思量與選擇方面，台灣的現實政治還增添了兩項麻煩的干擾。一項是歷史與歷史意識上的干擾。將近四十年的極權戒嚴時期中，本土政治事務被壓縮矮化成爲大中國情懷中的背景，對於台灣本身的建設與經營，不管成功與否，都被視爲是工具性的，只是手段而不是目的。目的是日漸遙遠，在可能性上不斷向後退縮的反攻大陸、建設新中國。台灣只是跳板，只是維持這種夢想的必要工具罷了。

解嚴之後，大中國神話崩解，然而從這樣的歷史經驗裡冒出來的兩項時間錯覺，卻沒那麼快消失不見。一部分的人在一部分場合裡，習慣錯覺以舊的大歷史角度來衡量評斷現實，於是在他們眼裡，所有的政治政策幾乎都是短視近利，都是充滿

島氣心胸仄險的。他們錯覺只有那些時間量尺最大、以十年甚至百年為標準的，才值得支持值得肯定，其他都只堪付諸蜉蝣朝生暮死的虛耗。

可是另外又有一部分人在一部分的場合，不斷表達、發洩對於過去的不滿與不耐。那段時期的存在，讓他們認為台灣已經喪失了太多時間，現在一切都落後了，更重要的，如此歷史所塑建出來的現實，依他們看來，必須在最短時間內予以改革改造。四十年的錯誤與積壓，怎麼可能再拖沓牽延下去呢？

兩個截然不同的時間感，並存在這個社會上。各自以非常激情的高分貝拉扯著，結果是使得解嚴十多年來，台灣依然形成不了一種主流的時間尺量。大家各有各的時間表，也有了反對別人的時間表的充分理由。

現實政治上的另外一項干擾，是頻繁選舉造成的錯亂。民主機制一直到近十年才在台灣全面運轉，許多民主賴以成立的習慣，當然都還沒有確立。民主必定有選舉，選舉當然有任期，然而在民主定期改選的底下，一則必須有堅強穩固的常任文官體系，保證這種任期上的更迭輪替，有其限度，不至於使得長期計畫施政無從延續。另一方面還要培養政治人物的責任感，對在自己之前之後執掌職務的人的尊重，才不會只看自己的任期，只在意自己任期內的成就表現，形成一種「任期濫權」的弊病。

台灣才正在摸索著形成這些習慣。然而過程中又飽受不健全的紊亂體制影響，造成幾乎年年選舉的怪現象，而且選舉的主軸主調幾乎都是以情緒動員能量為決勝關鍵，各種因素湊泊

下，我們的政策時間感，只能是零碎、斷裂、不連貫、充滿意外與轉折的。

整體的效應，我們的政治政策運作中，時間成了最大的盲點。不見得不知道該做什麼事，但該在什麼時候做，卻成了無人聞問的問題。產生的後遺症，一是政策效率在沒有時間表壓力的情況下，無從提升。二是政策支票可以亂開，也必然亂開，開了之後再拿無限期的未來當推諉的廣大腹地。三是許多政策在不當的時機推動，太早或太遲都無法收到實效，然而負責政策設計、執行的人，根本缺乏時機評估的必要智慧，時機評估也不曾樹立爲決策的必要步驟，更增加政策錯誤與浪費的可能性。

政治解嚴‧社會解嚴‧情感解嚴

少年時代練過跳高。參加田徑隊，在教練的指令下（為了增進手腳協調及加強彈性）練過幾個月。

在那個比較貧窮的年代，剛開始只能在沙坑邊練跳，跳面向跳架的腹滾式，練得興味索然。後來學校不知發了什麼財，還是發了什麼神經，大手筆添購了海綿墊，我們可以改練背滾式，整個感覺完全不同了。

練跳高變成一件最有意思的事。裡面帶著和身上渦流的悶蒸臭汗完全不相襯的神祕感與浪漫意味。跳背滾式時，起跳的剎那根本看不到橫竿。奮力將身體拔起，拚命向後仰，試圖超越那道看不見的標高。凌空時，眼中只有天空、夕陽、黃昏，而從背部則傳來一陣高度敏感激起的雞皮疙瘩，每一吋皮膚每一根神經都緊張地在預期、在試探會不會碰觸到橫竿。

在天空、夕陽、黃昏的陪伴下，我們一次又一次起跑、墊步、挺腰、轉身、收肘、折腰、踢腿。每練一陣子，就會遇到一下瓶頸。高度再也升不上去，怎麼跳也跳不過。動作做不完就碰倒了橫竿，整個人狼狽地摔跌在海綿墊上，要不是教練的吆喝叫罵，找不出一絲力氣爬起來。然後一個念頭無可避免浮上來，這就是我的極限了吧，這就是和地心引力爭戰的最後結

局了吧。

被這種瓶頸困擾久了，然後會有這麼一天、會有這麼一跳，不再覺得跳得過去的高度竟然就過了。從海綿墊彈起來，翻個觔斗後明明白白看見橫竿還留在那裡，於是從身體的最深處，自己都不清楚存在的深處，冒湧出無可抑扼的狂喜，手舞足蹈、亂跳亂叫，高興得失去了控制，而且這份高興會延續許多許多天，不管正在做什麼，不管醒著或睡著，不管在什麼場合，一想到那翻身躍過橫竿的瞬間，就忍不住笑起來、樂起來，世界上其他一切，從日益下跌的考試成績到遠方中南半島惡化的戰況，都變得如此無足輕重。

不過這種喜悅、這種幸福，很難說明傳達給沒有練過跳高的人聽。從一般常識上說，這種喜悅這種幸福不具有說服力。盲目地翻過一個高度，在翻的剎那甚至自己都不曉得過了沒有，甚至沒有辦法親眼目睹自己的成就。而且翻過了，自己沒有增加任何東西，這個社會也沒有增加任何東西，意義何在？

一九八七年七月十五日，籠罩了台灣達四十年之久的戒嚴令正式解除。午夜十二點，當時剛從軍中退伍、正賦閒在家等待出國留學的我，特地出門在街上無目的地遊走，街道上冷冷清清的，戒嚴令失效的那一秒鐘，沒有任何人表現任何特殊反應，我抬頭看該亮著的窗口亮著，早暗了的依舊暗著，甚至比不上每年要有一次的除夕夜子時，還有熱鬧的鞭炮聲此起彼落。

沒有任何跡象、沒有任何慶祝，可是我清清楚楚自己心中的幸福感是真實的、確切的。我想起過去練跳高的那一、兩百

個日子。我知道解嚴意謂著我們這個社會跳過了一個新的高度，一個過去四十年大家認定永遠跳不過的高度。

　　跳過更高的高度，不能帶來任何立即的報償，卻代表了一份真實的自由。而這份自由，以幸福與喜悅的形式儲藏在精神內裡，它可以在未來的時光裡被提出來換成其他東西，換來更多的幸福與喜悅。

　　在跳過橫竿的瞬間，我的確不知道這一翻可以幫我帶來什麼好處。然而十幾二十年後，我知道了那一翻至少幫我在收到不敢拿給父母蓋章的成績單時，少沮喪一點；當從報上讀到中南半島的戰場上死傷狼藉時，少沮喪一點。少沮喪少挫折一點，也就替希望與快樂多爭取到一點空間。

　　十幾年後，我們也可以看出來，解嚴所開拓出的空間。解嚴的意義，不是政治上管制減少這樣狹義的作用。政治解嚴引發的是連串的政治制度、政治價值上的演化，從一個威權體制逐步演化為民主體制；與此同時，社會上其實也在進行一場翻天覆地的巨大演化，其幅度顯然比政治層面的更大，因為政治演化畢竟還有「民主化」這樣一套劇本，而「民主化」的一個必然效應，正是政治對社會的控制干預大量減少，社會取得了自主地位，活力亂竄，以沒有人能規畫沒有人能監管的方式與速度，走它自己的路。

　　藏在社會解嚴大變化的核心裡的，則是每個個人的情感解嚴。不再有人有規條來限制我們，非得對什麼東西什麼事抱持什麼固定不能改變的態度。這就是翻過橫竿後開放出的最大自由。你是你自己情感與情緒的主人，它們只聽命於你，只受你

的管轄。

　　別小看情感解嚴解放蘊含的龐大力量。就像我們千萬不能低估對著黃昏用背滾式跳過一根橫竿時，能打開的幸福與喜悅原野一樣。

樂觀、天真時代的結束
——「九一一」後的世界局勢

　　那如同末世般的景象，反覆在世界觀眾眼前上演。紐約世貿中心雙子星大樓，其中一幢已經起火燃燒，突然從鏡頭的一角闖入一架低飛的民航機，直直撞向另外一幢。這端飛機撞入，那端火舌爆裂。接著在鏡頭前面，這兩幢二十多年來已成為紐約地景一部分，世界級觀光景點的超高摩天大樓，相繼瓦解傾塌，瞬時化為一片瓦礫。

　　這連續的畫面太壯觀，又太不可思議，充滿了毀滅性的可怕的美，面對這種超乎常理之外的經驗，人們只能以天啓天譴一類的宗教概念宗教修辭，試圖描述試圖掌握。

　　難怪有人會認為雖然紀年上正是世紀之初，但那種戰慄陰闇的感覺，卻更接近世紀末的悲觀頹廢。

　　我們不必太認真計較到底用「世紀初」還是「世紀末」，更能貼切形容這次恐怖攻擊災難所引爆的世界氣氛，真正可以確定的是，「九一一」標示了一個時代的結束，當然也就揭開序幕，引領出另一個不一樣的時代。

　　將要來的是一個什麼樣的時代？這個預示性的問題，很不容易回答。也許我們可以先看看宣告結束了的時代，繞道過去

來揣想未來。

在替時代畫下句點一事上，「九一一」可以被視為是去年四月美國那斯達克崩盤的後續。從那斯達克崩盤到「九一一」恐怖分子重創紐約與華盛頓，九〇年代美國經濟賴以維持繁榮成長的幾個重要原理原則概念，不再能夠說服大眾人心，失去了它們作為整體經濟運作底層強大的隱藏性共識信念的作用。而沒有了這些共識信念，架構在其上的整套秩序——經濟的、政治的、國際的——可以在短時間內風化成為沙丘魅影，帶來普遍性的幻滅失望。

第一個遭到掏空的原理原則，是沒多久前才紅極一時的「知識經濟」樂觀心理。「知識經濟」的根本出發點在於：看到美國九〇年代高速成長，卻竟然同時躲過了古典總體經濟學理論中，應該會伴隨高成長率出身的負面現象，因而認定我們處在一個過去歷史經驗、歷史資料都無法充分解釋的獨特階段，所以需要另立一種大開大闔、放棄傳統經濟學束手束腳思考模式的全新經濟學，專門來解釋這段成長的意義。

「知識經濟」當然是門具有高度野心的新知識學門，野心滋長自信，有時候，自信會更進一步擴張成為傲慢。

最自信最傲慢的「知識經濟」理論，甚至預言從此之後，美國經濟景氣可以擺脫幾百年來最是困擾困惑資本主義系統的循環問題。景氣會一直上升一直上升，不必再擔心走下坡困在衰退或蕭條裡。

為什麼可以這樣？因為這波景氣榮景的龍頭產業——電腦資訊業及網路業，的確以前所未見的速率不斷翻新，它們創新的

速度遠超過舊經濟學裡預設的經濟階段循環變化所需的時間，換句話說，產品創新與企業創新讓不景氣根本追都追不上。

從這個邏輯看下來，我們找到整個「知識經濟」建構中，最核心的東西就是「知識創新」。再進一步細繹「知識創新」能夠成為新經濟體的總指揮兼總引擎推動力，我們又會發現兩項非常關鍵的機制，然而不幸地，這兩項機制，正是那斯達克崩盤和「九一一」攻擊效應，直接打擊、甚至摧毀的對象。

鼓勵創新，需要信任創新、容忍創新、並且願意接受創新失敗後果的龐大社會力量。那斯達克的存在，那斯達克的飆漲，意謂著大批游資滾滾流向其實還沒有確實證明其經營獲利能力的新概念新公司。在網路事業最受榮寵時，大家將股市投資最根本最重要的指標──「本益比」(EPS)改稱為「本夢比」，這種說法當然隱含濃厚的諷刺意味，不過卻誤打誤撞點明了這個高速成長時代真正的主導邏輯：投資人願意以重金鼓勵不拘一格的各式各樣作夢的人。作夢就可以致富，甚至作夢而不必去追求夢想的實現，是最快最有把握的致富方式，難怪鼓勵了創意大量噴出。

那斯達克崩盤的意義，不只在股價向下調整，更在於表示了社會開始撤回他們原本對創意近乎盲目的信任與支持。只要敢作夢就有人願意投資你的環境，在短時間內成了春夢一場，醒後沒留多少痕跡。經濟價值由冒險、創新移回保守、穩健，「知識經濟」所主張的那種用翻新創意賽跑跑贏經濟不景氣的假設，不再能夠成立。

從現實面上看，我們不能忽略，九〇年代美國能夠爆發出

這麼驚人的知識創新力量，和眾多移民、外國異質人才的注入，有非常密切的關係。仔細檢驗九〇年代美國資訊工業的成長，在數理研究方面貢獻良多的是印度裔移民，在系統整合上做最多苦工的是東亞裔——包括台灣、中國、香港、新加坡、日本、韓國——新人力，至於在軟體工業為美國提供最多刺激的，則首推愛爾蘭。除了愛爾蘭的影響，是透過「全球化」過程進行的，我們等一下會另行處理之外，其他的這些新興知識勢力齊聚美國，靠的都是美國門戶洞開的文化與政治策略。九〇年代在民主黨柯林頓主政下，美國不只開放了市場，也重啟「大融爐」的國族神話運作，向各族裔人群開放了「美國民族」的成分。

這種狀況，到共和黨的布希總統取柯林頓而代之時，就已經必然產生內縮變化。「九一一」的慘痛悲劇，使得美國主流意識形態更朝保守、封閉的方向調整。這種情況，在恐怖主義威脅下，會出現得格外快速而凶猛。

遭受攻擊後的美國人，最大的憤慨與最大的恐慌都在於：明明白白知道有人對自己抱持著不惜訴諸血腥殘酷手段的極端敵意，但卻找不到這些人是誰、在哪裡。

對現在的美國人而言，一天不找到這些敵人，自己的安全就一天沒有保障。可是恐怖分子之所以恐怖，就在他們藏身在日常生活的肌理中。換句話說，這已經是準戰爭的狀態，可是戰爭中的同仇敵愾意念，卻只能在自己家裡自己周圍發洩。

歷史與社會學上的暴力研究都告訴我們，在如此心理操弄下，對於「非我族類」的提防與排斥，一定是最基本的自我防

衛反應。在極短時間內，開放性的「美國民族」神話勢必出現嚴重裂縫，雖然應該不至於出現暴力性的排外運動，不過整個美國對於接受新文化、異質現象的胃納，卻一定會縮小許多。

這就會進一步阻礙創造性因子的運作與發揮。「知識經濟」至此已經圖窮匕現，再也沒有魔法可施了。

第二項會遭到侵蝕破壞的原理原則，是前幾年也到處高唱入雲的「全球化」趨勢。科技的進步、互動的增加，還是會發揮其促成全球各地同一化、標準化的作用，經貿的數量、頻率也依然會持續上升，倒是毫無疑義。不過在這樣的變化過程中，究竟要用什麼方法來安排新的價值秩序，卻在「九一一」之後成了無可逃躲的首要議題。

在原來的「全球化」流行論述裡，用一種天真的態度想像世界成為一個單一市場後，市場邏輯將凌駕於一切既有、傳統價值之上，甚至成為各種價值系統間的超級仲裁者。在這個論述裡，另外設想了經濟貿易力量跨越國界，而成為新的世界編組架構，各個民族各個國家的舊意義迅速退位淡出成為背景，浮上前景躍登舞台上的，是以產業為單位的跨國分工再編成，是原料、代工、行銷、市場等「全球化」概念下的區域布局。在新上演的「全球化」戲碼中，國家角色是個反派，是讓主角要能淋漓盡致顯現為英雄的過程中，必須加以克服或至少加以馴服的障礙。

不過在「全球化」理論大行其道的同時，就有其他不那麼樂觀的提醒，也在流傳。其中最具代表性、也最具影響力的，當然是杭廷頓的《文明衝突與世界秩序的重建》。「九一一」攻

擊事件後，重讀這本書，可以給我們許多寶貴的啓發。

最重要的啓發在，杭廷頓所提示的「文明衝突」主題的確存在，而且有可能非但不會被「全球化」過程敉平，還會被「全球化」弄得更緊張更火爆。因爲從「文明衝突」的前提看出去，「全球化」所代表的不是一個更高層次的普世價值，而是基督教文明內部產生的資本邏輯的進一步強化、進一步霸權化。「文明衝突」的視點，和「全球化」的視點，有著截然逆反的推論。「全球化」認爲貿易、市場高於各別文明，會發揮整合文明的作用；「文明衝突論」卻認爲貿易、市場的整合推進本身，就是西方基督教文明對其他文明、其他價值的終極排擠、終極威脅。

「九一一」行動，的確是「文明衝突論」下的產物，不過我們卻不能就此獲致「杭廷頓才是對的」的結論。杭廷頓在預示回教文明與基督教文明的衝突、對抗上，確實精準，然而我們如果考慮與「九一一」恐怖行動同時發生的另外一個事件，就就可以反過來察知杭廷頓的限制與偏執。

「九一一」震驚全球時，中國的代表正在日內瓦等待完成世界貿易組織（WTO）入會的申請程序。「九一一」攪亂了所有國際事務的運作，不過「中國入世」卻只受影響拖延了一個星期，其餘照常照舊。別忘了，稍早之前還有北京申奧成功的大新聞大消息。

換句話說，杭廷頓書中歷歷描述的中國文明、漢字文明與基督教文明間的緊張，是他自己紮的稻草人，而不是二十一世紀的國際現實。兩相比對，我們就可以明白：杭廷頓整套理論

最脆弱的地方，就在他將回教文明內部興起的仇恨、抵拒，太快太草率地運用到世界其他地區，去編造出一個處處緊張、處處反彈的衝突圖像。

真正在進行、在發生的，是「全球化」確定沒辦法以全球為規模來處理問題。要讓類似回教文明內部的仇恨不至於氾濫延燒，要保有「全球化」的基本樂觀精神，弔詭地，整個世界必須經歷一次「再區域化」的大工程。

「九一一」對美國產生的破壞，不只在物質損失人員傷亡上，更嚴酷的還有觀念與心理上的動搖。在原本「全球化」樂觀氣氛下，全世界幾乎都主動向美國靠攏的趨勢，很快會有所逆轉。大家會從很現實的自利自保考量出發，就算不能和美國劃清界線，至少也要暫時拉開一段安全距離。因為在這種狀況下，沒有界線的「全球化」，也就會意謂著一個美國受災世界一起遭殃的局面。

「再區域化」初步的作用，有點像是現代船舶的船艙設計。有一個地方進水了，可以把水防堵在有限區域內，不至於一下子壓沉整條船。然而這種最初是防弊、防災的設計規畫，後來有可能長出自己的生命，變成下一個時代國際秩序的新單位。

「九一一」之後，美國本土不受攻擊的百年神話也瓦解了。美國作為世界經濟最安全的唯一中心地位也動搖了。過去美國能夠吸納那麼多資金、那麼多經濟活動，一部分是因為大家認定投資美國最安全最有效率。投資美國可以自然省卻政治與戰爭風險的考慮，投資美國可以把所有雞蛋丟進同一個籃子裡，因為經驗顯示，這個籃子不會掉下來不會傾覆。

　　「九一一」之後，美國失去了這個獨特地位。投資美國一樣要承擔風險，也就要做分散風險的措施。分散風險的考慮，一定會更進一步加強了「再區域化」的傾向，「全球化」架構分裂成幾個雖然都以經貿、市場為其整合樞紐，但彼此間又保留一點疏遠距離的大板塊。

　　「九一一」預示了：冷戰結束後，由老布希揭櫫的以美國為唯一中心的「世界新秩序」，如此短命。十年後，這個世界又在尋找另一套超越「新秩序」的「最新秩序」，而逐步在浮現中的「最新秩序」不會是冷戰下的二元結構，更不會是「後冷戰」的一元結構，它必然是多元中心的，而未來幾年內，最值得注意最值得觀察的，就是這些「再區域化」的力量如何運作、多元中心如何形成。

　　「九一一」送走了樂觀天真的「知識經濟」和「全球化」，我們該做好準備迎接一個陰鬱些現實些的新紀元到來吧。

我的紐約還在嗎？

我對紐約，當然是有感情的。

留學美國的日子裡，能夠做的最瘋狂的事，就是興起上路去紐約。通常都是星期六的中午，剛從前夜一直持續到凌晨的朋友聚會殘留的氣氛裡醒轉過來。那些年頭，八○年代後期到九○年代前期，我們的生命裡還充斥著許多嚴肅的大論述大事件，朋友們輪流在幾個人家裡聚談，談台灣民主改革的前景、談中國開放的效應、談後現代理論，有時候也談猶太教教義與中國儒家倫理的異同。勉強找到最輕鬆的話題是電影，因為大家都很省，不會花太多錢去看院線上演的最新好萊塢產品，而是遊走校園各處宿舍找免費的電影看，不然就是買便宜連票到學校的電影檔案館裡去亂混亂晃。所以看了一大堆老電影、奇怪的電影、沒有辦法用常情常理瞭解的電影，剛好利用這種機會互相教育，也彼此炫耀一番。

聚會通常要到兩、三點鐘才散。睡一覺醒來，心裡難免會有一股興奮和一股落寞交織衝突著。興奮是這個世界這麼大，還有那麼多可供我們去探索；落寞則是那麼大的世界裡，那麼熱鬧的聚會結束了，我們還能還該做些什麼？

這種時候，就是啓程去紐約的時候了。我們所在的波士頓

距離紐約市，以我年輕時不怕死飛車開法，有過四小時以內可以到的紀錄，稍稍放慢一點，四個半小時算是合理的估計。

下午一點鐘左右出發，夏天的話還能趕在天黑之前進紐約。通常先去皇后區法拉盛買帶有台灣家鄉味的肉圓吃，奢侈一點的話，就殺進曼哈頓找家有特色些的餐廳吃飯。吃完飯向南到華盛頓廣場一帶，可以逛街、可以散步，當然也可以去聽爵士樂現場演奏。混到超過午夜之後，回到二手老爺舊車上，開始上路北返。

已經算不清那幾年間有多少次這種瘋狂紐約半日遊的經驗了。紐約是個大地方，它什麼都有，而且什麼都混雜在一起，可以讓你觸得到碰得到混得到。所以最可以處理那種興奮與落寞矛盾交雜的情緒。

正因為累積太多這種經驗，紐約從來不是個遙遠的地方，也從來不是滿足好奇心的觀光景點。我不在紐約，但總覺得隨時可以去紐約，離開紐約也不覺得可惜與悵然。紐約是我生活中正常平常的一部分。

使我和紐約親近，還有一個重要理由，那就是我長期、固定閱讀《紐約客》（New Yorker）雜誌。我讀《紐約客》的資歷，已經逼近二十年了。到手的第一本《紐約客》，連目錄標題都沒辦法全部讀懂。少年時期把所有的熱情、精力都投注在文學上，不曉得在哪裡讀到人家介紹，說《紐約客》是世界第一流的文學雜誌，心中好奇羨慕得不得了。非常偶然的機會竟然在光華商場小店的塵封角落裡搜到一疊《紐約客》，從此開始了我和這本雜誌的長遠關係。

　　真正讀懂《紐約客》，就知道它實在不是我心目中想像的那種文學雜誌。《紐約客》每期都刊登很好看的小說、很特別的詩，可是那只是《紐約客》總體態度的一種表現方式，而不是它的本色本性。那什麼是《紐約客》的總體態度呢？它帶著一點傲慢帶著一點戲謔帶著一點誇張，宣示著紐約人和別人都不一樣的生活觀照與日常品味。

　　我很快就養成習慣，貪婪地翻閱每期《紐約客》雜誌最前面的活動情報誌。我很確定，那上面列出來的一星期內要在紐約發生的事，在我自己的城市──台北，可能會是一整年的分量。我從那裡面認識到紐約的豐富，對照領悟到自己的無奈貧乏。

　　在讀《紐約客》的過程中，我也學會了去感受紐約人看社會看世界的獨特角度。我學到什麼是文化品味，以及文化品味中包含的犬儒、嘲諷態度。同時，沒有什麼其他東西，比《紐約客》的漫畫，更能具體地教會一個人瞭解，什麼叫作「美國式幽默」。

　　我還沒去紐約前，透過《紐約客》，我已經在紐約了。當然，我認識的紐約，是偏頗的，但我的偏頗和所有讀觀光指南、甚至留學住在紐約的人都不一樣，我以一個實質陌生人的身分，卻灌注了滿腦子老紐約人最世故最日常一面的姿態與瑣碎資訊。

　　在美國的那幾年，我一直相信兩樣經驗讓我碰觸、探入美國社會較深的肌理，不至於停留在浮光掠影的膚淺層面。一是我對各式各樣職業運動的熱愛，永遠在偷時間看轉播讀報導；

另外一項就是《紐約客》提供我的豐富智慧。運動知識讓我隨時可以找到和人家聊天的題材，《紐約客》的訓練則讓我聽懂許多人家話中有話、弦外之音。

紐約是個奇異的地方。我從來不曾覺得自己在那個街頭上，是個異鄉客是個會迷路的觀光客。紐約當然不是我的家，但在紐約、尤其是曼哈頓，我享受一種奇特的安全感。安全感來自那以數字命名、系統化到近乎無聊的街道網絡，只要一抬頭，你一定知道自己在哪裡。安全感更來自每次到紐約，我都很清楚自己想去哪裡，有哪些地方可以去。

去紐約一回，就尋索一次《紐約客》裡讀過的地方。音樂劇的百老匯、卡內基中心的古典音樂演奏當然不必說了。去華爾街上找J. P.摩根當年叱咤風雲的銀行原址。去哈林區找馬爾孔・X被暗殺的廳堂，已經近乎棄廢的地方，裡面竟然傳來有人練習吹薩克斯風的斷續音符，而且聽得出來吹的是《My Funny Valentine》。

河濱大教堂和大都會博物館分院，都是我們非常喜歡去散步的地方。大多天下雪時，就去林肯中心看人家溜冰，尤其是耶誕節前後，那種喜氣感覺絕對無可替代。耶誕節到了還應該去老梅西百貨公司，有一年我們甚至在耶誕夜刻意留到老梅西打烊，感受那種既像是節慶要開始，又像是曲終人散的氣氛。

後來日本人富有起來，替紐約增添了日本區的書店和餐廳。法拉盛除了有滿街的台灣式招牌之外，還有很好的韓國菜可供探尋。布朗克斯則有老洋基球場，球場周圍到處都感染著棒球歷史與棒球迷的特殊文化。八〇年代末還沒有整頓過的蘇

荷區，則是危機四伏的波希米亞混亂貧民窟，不能優閒亂混，卻適宜選一些沒有章法的畫廊，走進去和老闆胡扯一些達達主義或超現實主義的閒話。

紐約的故事、紐約的回憶太多了，那無法形容的從來不在的心靈故鄉。這樣的精神定位，使我從來都不喜歡專門吸引觀光客的地點。例如自由女神、例如聯合國、例如帝國大廈、例如大都會博物館。自由女神像一定是陪著朋友盡地主之誼時才會搭渡輪去的，至於大都會博物館，我還寧可坐在門口台階上，回憶這段景致曾經如何被伍迪‧艾倫編組入鏡。

例如世界貿易中心，一個我從來不曾涉足過的紐約地標。永遠是當雙子星大樓突兀地浮現在天際線上時，以不屑復不安的口氣批評那太過單調的形狀，那似乎象徵著美國資本主義不修飾的霸氣的炫耀神情。我從來不會想去參觀世貿中心，因為還有太多太多更值得去的地方。因為世貿中心總是會在那裡。可是河濱道路上的夕陽、藍調的現場演奏卻不會等我。

然而世貿中心消失了。確知世貿中心消失後，我竟覺得心疼痛惜不已。因為世貿中心的醜與霸道，也是紐約不可分離、不應分離的一部分。這種紐約什麼都有、紐約什麼都可以有的信念，被挑戰被挫折了。

我以為紐約會一直在那裡。可是如果連世貿中心都可能化為烏有，我不曉得我所認識我所喜愛的紐約，還會存留多久。這是最深沉、最難排解的感情斲傷，最冷最冷的寒心與擔心。

「入世」後無奈的台灣

　　二〇〇一年的大事之一，是中國與台灣終於都順利完成了加入世界貿易組織(WTO)的申請程序，先後「入世」。

　　從WTO前身關貿總協定（GATT），台灣與中國就開始了各自冗長的申請入會過程，十幾年間，世界情勢幾經改變。最大的改變當然是從GATT轉型為更具野心、號稱是「經濟上的聯合國」的WTO，伴隨著WTO的成立，而有了加速的全球化進展。

　　柏林圍牆倒塌、冷戰正式宣告結束，同時結束了政治意識形態作為國際關係決定性力量的時代。取而代之的，是一種普遍性的經濟貿易至上新價值，政治反而退居為經濟貿易的一個變數。直接造成的效果，是過去數百年來，一直對資本經貿擴張擁有強烈干預、抗拒能力的國家，被迫逐步撤守。國界不再具有明確經濟體邊界的意義，「全球布局」成為最流行的名詞之一，而其實質內容就是：在沒有國家的保護下，經貿的競爭勢必要在全球性的架構下進行。

　　因應這樣的變化，出現了成效程度不一的新策略。歐盟的確立、歐元的發行，我們可以將之看作是一種超國家的策略選擇。歐盟內部任何單一經濟體系，都無法在「全球布局」、「全球競爭」上取得充分的優勢與保障，於是他們彼此進行經濟結

盟，以便達到更有利的經濟規模，搶占經貿競爭上的軍團作戰戰略高地。

相形之下，日本的衰頹也可以說是來自於政府過去干預太強、介入太多，一旦在新的情勢下，政府被拔除了可以在經濟領域上作為的爪與牙，就出現嚴重調適不良的情況。而且日本雖然自身單一經濟體的規模與效率都非常可觀，可是在面對像歐盟、北美自由貿易區，乃至中國的競爭時，卻又顯得既不夠大又不夠多元全能了。

兩岸在這個時候同時「入世」，對台灣來說，形成了尷尬困窘的難題，台灣的處境，像是在一塊逐漸乾涸之濕地上的一條魚，如果繼續留在原地，必定會乾死渴死，非得投身進入旁邊廣表的海域裡生存不可。然而一旦進到大海裡，馬上又得面臨大魚環伺的恐怖險峻形勢。

雖然經過十幾年的談判，台灣對於加入WTO可能帶來的衝擊，其實仍然未曾、也不可能充分準備。農業的萎縮是最容易預期的傷害，菸酒公賣制度走入歷史是生活上能見度最高的影響，然而還有很多力量，什麼時候會用什麼方式隨WTO衝湧入台灣，老實說誰也講不準。

例如教育領域，我們既有體制是非常脆弱的。尤其是高等教育方面，經過幾年沒有章法的快速擴張，大部分學校在這過程中能維持不鬧弊案就很不錯了，哪有辦法真正去追求教育品質？這樣的體質又怎樣禁得起世界性的競爭！

還有像法律、會計、甚至媒體經營等專業領域，此後也都將暴露在無保護的競爭態勢下，稍一不小心本土產業就有可能

土崩瓦解。

「入世」之後,在激烈競爭催逼下,台灣勢必要向中國進一步靠攏。只有維持與中國間的分工位置,連結上中國的經濟潛力,台灣才不至於在世界性的經濟大板塊推移間,被擠到邊緣角落去。可是在這個時候才「入世」,一方面台灣與中國的政治僵局沒有鬆解的跡象;另一方面台灣在經濟領域能對中國打出的籌碼愈變愈有限,這是造成台灣尷尬困窘的另一項因素。

政府正式宣布「戒急用忍」鬆綁,實在是形勢比人強情況下的不得已措施。可是「戒急用忍」雖然鬆綁了,台灣要在中國市場上經營特定分工利基的時機,卻也已經蹉跎喪失了。現在決定權握在中國大陸的手裡,看他們到底是要用籠絡手段拉住台灣,讓台灣加入面對全球化競爭的中國領域;還是要以報復性懲罰性手段排除、孤立台灣。在這個大策略大方向上,老實說,台灣還真的沒什麼決定自己命運的辦法。

這是「入世」之後,台灣無奈的現實命運。

親愛的台灣

我在宜蘭，車子從北宜公路盤旋而下，眼前開展著比記憶比想像寬廣的蘭陽平原，陽光偏西灑在更遠的海面上，將水波映耀成模糊曖昧的存在，龜山島在金黃光線下依然神祕陰鬱。

我想著一個即使在金黃光線下依然神祕陰鬱的主題，關於這個島上的人，包括我自己在內，如何習慣性地以一種冷酷中帶著輕蔑、輕蔑中帶著冷酷的態度，長期對待你。我們的冷酷與輕蔑，來自我們的不寬容，對親愛的你的不寬容。

你或許知道或許聽聞過，數千哩之遙，在一片望之儼如太平洋般廣袤無邊的湖岸，有一個名叫芝加哥的城市。我從來沒有適應過那樣峻涼鐵肅、介於溫帶與寒帶之間的氣候，感覺上那裡再大的吵嚷騷亂都是假的，背後老有一雙從蒼灰天空裡俯瞰凝視的紀律之眼，那是個沉靜而成熟的城市。

我最早從貝婁（Saul Bellow）的小說裡認識芝加哥。那個倒楣的何索（Herzog）找不到出路的環境。他的妻子和他的好朋友上了床，他完全不知道該怎麼辦。這種事如果發生在更溫熱的地方，像墨西哥像西西里島或像台灣這樣的地方，我們很自然可以理解可以想像該怎麼辦會怎麼辦。溫熱孕生狂野的欲望、欲望像燒沸了水一定從壺裡滿出來噴出來；欲望也一定像

燒沸了水般嘶嘶響著燒炙破壞。所以欲望之後就是暴力。暴力的恐嚇、暴力的報復以及暴力的狂歡嘉年華式本質。

何索或貝婁的悲哀在，這種事情發生在高寒冷靜、壓抑沉靜的芝加哥。不該有的欲望也只能微溫存在，燒不起瘋狂與暴力。所以何索始終沒有辦法扣下扳機，他疑惑他眩迷他沉淪，但他就是沒辦法暴躁憤怒，他的內在沒有一座火山。

我因此而害怕著芝加哥。後來我自己寫小說，寫了一個流亡海外的異議分子，為了讓他的革命熱情顯得如此徒然與無妄，沒有多加思索，我就將他放在芝加哥。一種寒帶的百無聊賴，被凍僵在秩序裡的情緒的疲憊。一種比單純的百無聊賴、單純的疲憊更累人的存在。

不過後來我對芝加哥的感受，因為接觸到了那支名喚小熊的職棒球隊而完全改觀了。你應該知道芝加哥小熊隊是什麼樣的球隊，你更應該知道芝加哥人，那些我印象中冷漠沉靜的芝加哥人，怎樣對待芝加哥小熊隊。

一言以蔽之，小熊隊是全世界運動史上最成功的輸家。他們真的是輸家，輸得多徹底。這支球隊上一回登上世界冠軍王者寶座的時間是一九○八年。上一回他們有機會打進世界大賽的年份是一九四五年。從一九四五年以來，五十六年間只有十三年小熊隊全季勝率超過百分之五十。換句話說，四分之三以上的時間他們一直都敗多勝少。

上一個球季，芝加哥小熊隊輸了將近一百場球，追平了大聯盟歷史上最悲慘最滷肉腳的紀錄，再多輸一場，他們就會變成歷史上最差最爛的球隊。小熊隊爛到球迷對他們沒有任何期

待，球季開打的第一場球賽，觀眾席上就出現了「讓我們等待明年吧！」的無奈感慨標語，形成芝加哥跟別地別隊截然不同的傳統。

然而球迷還是進球場還是願意來看球。這是小熊隊神祕的成功之處。這樣一個年年輸年年失敗的球隊，到現在竟然還存在，沒有倒閉消失，沒有頹然遷走，依然年復一年繼續元氣盎然地在原處一直輸一直輸，簡直就是個奇蹟。

小熊隊差點創下超爛紀錄的二○○○年，一共有兩百七十萬人次的觀眾買票進場看球，最貴的內野門票票價要十四美金。換算一下，芝加哥小熊主場每場還能有平均三萬觀眾熱情捧場。

不可思議的熱情，不合邏輯到近乎瘋狂的熱情，和芝加哥北國、鋼鐵城市形象格格不入的熱情。因為這不可解、不可能的熱情，而使我對芝加哥徹底改觀。

不可能的熱情卻存在了，那麼不可解的神祕，我們也得勉為其難地試圖去理解。我所理解的，是芝加哥人其實在享受小熊隊的敗績。球季才開始，就已經在等待下一個球季，這樣完全不抱希望的態度，反而解放、開放了以一種純粹審美的眼光來看棒球的空間。輸贏被排除在考慮之外了，欣賞的角度就變了，每一個好壞球、每一個飛出去的安打，都成了自身完足的意義代表，變成絕對的力量與技術的展現，不再涉及功利的計算。

我所理解的，是芝加哥人內在一種對待傳統的幽默感。小熊隊一輸再輸的命運已經成了根深柢固的記憶，成了不可更易

的傳統。一旦成為傳統，就算是斷垣殘壁、即便是破銅爛鐵，就有了全新的意義，展現出一種來自時間砂磨後的弔詭的粗礪光芒。

我所理解的，是芝加哥人的自得其樂。他們在珍惜別人不認為值得珍惜的事物上，建立起一種特殊的與眾不同信心。他們看待小熊隊的眼光中，似乎閃著一股狡獪的光芒，以既無奈又驕傲的心情宣示著：哈，你們家沒有這麼不爭氣的球隊吧！可是又有什麼辦法呢？它就是我們芝加哥獨一無二的特別產物啊！

車子迂迴巡行，已經降到金盈瀑布一帶了，再走一段路就要進入宜蘭。我想著，芝加哥人的這種特質，和這個島上的人相去何等之遠。我想著，你承擔著多麼沉重的我們對於成功的高標準要求啊。

我記得當年如何在閱讀《苦悶的歷史》中激動不已，對那些製造你的苦悶的諸多力量。我也記得一貫的概念提醒著，如果台灣不要那麼悲情，不要有那麼多外來的干擾與破壞，那我們就能重拾重建你真實的美好面貌，那我們就能毫無保留地稱呼你為我們最親愛的。

在這樣的愛裡，藏著一種對於現實的你的否認。我們愛的，是那個投射的虛擬的歷史中，完美的想像。完美的山川風景、完美的人文土俗、完美的對你的愛。然而這一切都是想像，排除掉種種現實失敗與污髒與挫折後的想像。

我們還是預期你要穿越過一道虛擬歷史的烈火隧道，重生為鳳凰。我們愛的我們肯定的，是你浴火重生的潛力，而不是

火炙之前的你的現實面貌。

　　穿越宜蘭市區之後，車頭依舊朝南，往冬山河的方向疾馳。我們愛的，我不得不承認，是像冬山河般改造過的台灣面貌。我們認為那才是台灣的潛力，台灣應該可以變成的模樣。

　　這就好像芝加哥人只愛小熊隊贏球的那剎那，而且視贏球為小熊隊應該的命運，而刻意忽略它是個傳統弱隊爛隊的現實。如果芝加哥人用這種眼光來看待小熊隊，小熊隊早就被埋葬在歷史裡，成為紀錄簿上的一股幽魂了。

　　冬山河的成功，這一個小小角落吸引那麼多的注意，我不得不想，見證著整個台灣的失寵。我們愈是愛冬山河，就愈是不愛你。因為台灣就不是冬山河。而且台灣沒有可能變成一個放大的冬山河。

　　當我們那麼渴望一個想像世界裡成功美好的台灣，我們也就在離開、嫌棄真實的你。你的幾百年的不成功與不如意，我們沒有像芝加哥人那樣的胸襟來接受來接近。

　　我在宜蘭，看得見冬山河畔一張張在金黃光線下依然透顯著某種奇特的不愉快的人們的臉，想著這樣一個即使在金黃光線下還是愉快不起來的主題。

台港恩仇錄

　　台灣人和香港人長期以來彼此歧視，誰也看不起誰。不過歧視歸歧視，種種的條件湊在一起，卻又逼得台灣人和香港人，不時進行著密切的互動來往。互動來往中所累積的刻板印象，又印證強化原有的不信任，塑造更深的歧視，如此惡性循環數十年。

　　所以產生了一個怪現象，兩邊的人都以為瞭解對方，至少不會把對方當作是遙遠陌生的國度，可是真正要談到瞭解什麼、瞭解多少，那內容又貧乏得很。

　　以前香港人因為自己的英國西化背景而看不起台灣人。嘲笑台灣人講不好英語，沒能力「和世界同步」。台灣人因為自己擁有的中國文化正統性而看不起香港人。嘲笑香港是「文化沙漠」，沒有文學沒有藝術。

　　香港曾經以自己高度都市化的景觀而自豪。台灣也曾經用自己保有的鄉土景致向香港炫耀。

　　八○年代以降，香港電視《楚留香》、香港「新藝城」電影，在台灣大大流行走紅，讓香港人很是得意了一陣子。進入九○年代，換作台灣人拿出自己的民主化成果，對即將面臨回歸的香港趾高氣昂。

有一點可以最明顯看出台港之間這種緊張齟齬。「四大天王」都來自香港，可是就算「四大天王」的歌迷影迷，也並不會因為崇拜劉德華或郭富城，而減少他們對廣東話的嘲弄。反過來看，這些總是風塵僕僕往來海峽的天王們，除了客套話以外，也從來對台灣事物說不出個所以然來。

正因為彼此歧視，所以最不容易看到雙方相似的地方。其實從經濟及文化的角度上看，很難找到像台灣與香港這樣同步發展，平行如影隨形的其他地區了。

讓我們簡單地回顧一下。

五〇年代末六〇年代初，香港突然湧進大批難民。這些難民是被中共「三反五反」、「大躍進」給逼得離鄉背井的。香港當局及香港人為了到底應不應該遣返這些難民，引起軒然大波。能遣返的遣返了，卻不可能全數遣返。事實上香港人口在幾年內迅速增加，而這些為了尋求基本溫飽而冒險渡海的人，後來就成了香港工業化發展中的廉價勞力骨幹。

一方面依然保持著邊界管制的政策，所以不會立即湧進太多人，另一方面又時鬆時緊地默許非法人口參與勞動，保證了勞動力的充沛供應，同時也就壓低了勞動力的市場價格。

同一個時期的台灣，則是大規模地進行「農村貧窮化」的政策。以國家高壓控制，一步步降低每戶農家、每畝耕地的平均收入，使得農村養不活既有的人口，逼迫青年流離出去，到外地去尋求溫飽。這些農村子弟成了台灣廉價勞力的來源，完成了工業化的初期資本累積。

經濟的十年發展之外，緊接著在台港都出現了民族主義的

熱潮。香港是六七年的暴動，緊接著七〇年的保釣，到七〇年代初期爭取中文與英文並列為法定語言的運動。六〇年代經濟成長帶來的樂觀、西化氣氛，因為兩項重要環境轉變而無以為繼。一是第一次石油危機帶來的整體性蕭條打擊，第二是中共重返國際社會引起的連鎖反應。

經濟不景氣，既有的勞動力立即呈現過剩現象，引發為對港英政府的不滿發洩，再進而投射為對中華祖國的高度認同。

在台灣也有不景氣帶來的社會騷動，不過中共因素則是在不景氣之上更進一步的嚴重挫敗。於是和香港相反，政府非但不是民族主義攻擊的對象，且是民族主義的主動提倡者。政府利用民族主義的熱潮，將不景氣的不滿轉移為對西方的批評，更把國際上的挫敗解釋成為敵人的陰謀。

除了民族主義的異同之外，特別引起我們注意的，還有港台兩地的政府，都在這個時期大力推動行政革新以及擴大公共工程投資，小心翼翼渡過難關。香港有肅貪，台灣有「十項革新」。台灣有第一條南北高速公路整合了西部平原，香港有海底隧道聯絡九龍半島和香港島。

不過民族主義在香港和在台灣，都是不穩定的意識形態。附掛在「中國」的招牌下的，至少有六種不同時間屬性的錯雜意義。第一是傳統中國，或由傳統文化所定義的中國。第二是國民黨統治時期的中國大陸。第三是共產黨統治時期的中國大陸。第四是國民黨統治下的台灣。第五是台灣本身所含的「中國性」，與政權無關。第六是香港本身所含的「中國性」，是和港英政府的外來西方式相對峙的。

　　這麼複雜的「中國」，不可能在民族主義的大布蓋下平平靜靜相安無事。七○年代後半期，不管是香港或台灣，都出現了「本土版」的新「中國意識」。雖然還是在「中國」的招牌下，可是這個「中國」不到中國大陸上去找，就在香港與台灣的本土土地上。

　　「本土版」的「中國意識」，繼而又被迅速累積的財富給點燃了，變成了經濟自信下，反過來對雖「正統」卻貧窮的大陸中國的一種睥睨不屑。

　　「本土」走到一定地步，無可避免會回頭來質疑「中國」，進而瓦解「中國」。於是在八○年代，我們在香港、台灣兩地都看到文化風潮走向了對中國舊身分的質疑，以及摸索一個更精準更適切的新身分的努力。

　　明顯的證據是這個時期兩地都掀起「懷舊熱」，而且懷舊的對象不約而同地都指向工業化初期的五○、六○年代，而懷舊的內容也都是一些鄉土瑣事，與生活最切近的小傳統因素。「懷舊」是身分重塑的重要步驟，只有洄游到從前的原初環境裡，我們才能再做一次選擇。選擇哪些是甜美的、哪些是苦澀的、哪些是荒謬的、哪些是必須終身記取的、哪些是甚至不讓它進入記憶中的。對記憶與遺忘做一次重新整理，再依照整理後的記憶來建構自己的形象。

　　台灣有《小畢的故事》、《蘋果的滋味》、《童年往事》；香港也有《傾城之戀》、《胭脂扣》乃至《阿飛正傳》。

　　不過同樣是藉懷舊以重理身分意識，台港兩地最終的選擇，畢竟南轅北轍。其中最大的關鍵當然是一九八四年中、英

兩國政府簽訂的聯合聲明。聯合聲明中宣告了一九九七年，香港終將歸還給中國。

從一九八四到一九九七，對香港人而言，是真正的「借來的時間」。十幾年間，香港過去百年經歷的一切，都被翻出來再走過了一次。香港人在短時間內激烈地游移在認同的極端間，到了一九八九年的「天安門事件」，終於找到了不得已的答案。這個答案就是：無法擁抱中共，因為中共是真的會開槍鎮壓人民的政權；可是又不可能拒絕中共，也正因為中共是真的會開槍鎮壓人民的政權。

從八九年之後，香港人一方面紛紛取得外國護照，從法律上徹底否定自己的中國認同，然而卻又在言詞表面無保留地接收、複誦中國的民族主義教條，呈現出這樣的分裂狀態。

相對地，台灣算是幸運得多了。沒有九七的陰影，使得愈來愈多人以台灣作為對抗或顛覆或偷偷轉換中國認同的新選擇。

香港有最「不政治」、最自由的港英政府，台灣卻長期在最政治、最威權的國民政府統治下，這當然是天差地別。然而因為所處的相似大環境，不一樣的政府卻無可否認地製造出了非常類似的人民歷史與人民經驗。可是過去我們為什麼很少意識到、很少承認台港之間的這些相似呢？

說穿了，正是一些畸形、莫名其妙的競爭感，使台港彼此歧視、彼此否認。九七香港移交前夕，回顧這些競爭的內容，讓我們難免啼笑皆非。港人所標榜的洋化進步，其實是抄襲自英國殖民主義的。台灣一度炫耀的中國文化，其實是歷史遺緒

的幻影。香港的娛樂事業還擺脫不了跟隨好萊塢的亦步亦趨姿態，至於台灣的民主也才剛剛從中學階段勉強卒業罷了。

以前我們卻為了這些可笑、虛幻的競爭，而彼此歧視、彼此誤解、彼此疏遠，想想真是可惜。當台港並肩發展時，雙方都沒有足夠的智慧冷靜地彼此學習。

這樣的機會可能一逝不返了。因為九七年七月之後，香港與台灣可能真的要走完全不一樣的道路了，香港勢必與中國愈行愈近，台灣則勢必要在中國之外建立自己的政治經濟社會形態，與香港之間真正的競爭、真正的恩仇，才剛要展開。

一九九七年六月於台北

楊照創作年表

1963年　出生於台北

1975年　寫出第一篇小說〈飛機〉。

1976年　發表第一首詩〈潮〉在《北市青年》上。

1977年　正式對外發表第一篇小說，〈約會〉刊登在《中華日報》副刊上。

1977
～80年　三年內在各種詩刊上發表超過八十首詩。

1982年　短篇小說〈文革遺事〉，散文〈在我們的時代〉參加「時報文學獎」，都進入決選，不過都未得獎。

1983年　完成中篇小說〈流眄〉。

1986年　服役中開始撰寫系列散文「軍旅札記」。

1987年　出版第一本短篇小說集《蓮花落》（圓神出版社）。
　　　　赴美留學。
　　　　出版第一本散文集《軍旅札記》（圓神出版社）。
　　　　《吾鄉之魂》（時報文化出版公司）。

1988年　在《自立晚報》本土副刊連載長篇小說《大愛》。

1989年　寫完二十四萬字的《大愛》。寫中篇小說《往事追憶錄》。

1990年　寫中篇小說《變貌》。

　　　　以〈胖〉一文獲《聯合報》小說獎。

1991年　出版《大愛》（遠流出版公司）。

　　　　出版中短篇小說集《獨白》（自立晚報）。

　　　　出版文化評論集《流離觀點》（自立晚報）。

　　　　以〈落髮〉一文獲《聯合報》小說獎。

1992年　獲「賴和文學獎」。

　　　　出版短篇小說集《紅顏》（聯合文學出版社）。

　　　　寫長篇小說《暗巷迷夜》。

1993年　出版短篇小說集《黯魂》（皇冠出版公司）。

　　　　出版文化評論集《異議筆記》（張老師文化公司）。

　　　　出版文化評論集《臨界點上的思索》（自立晚報）。

1994年　以〈家族相簿〉獲吳濁流文學獎小說正獎。

　　　　整理重出《軍旅札記》，改書名為《飲酒時你總不在身邊——軍旅札記》（皇冠出版公司）。

　　　　出版《暗巷迷夜》、小說集《往事追憶錄》、《星星的末裔》（聯合文學出版社）。

　　　　獲「吳三連獎」（小說類）。

1995年　《暗巷迷夜》獲《中國時報》開卷版選為年度十大好書。

　　　　以〈天堂書簡〉獲「洪醒夫年度小說獎」。

　　　　出版文化評論集《痞子島嶼荒謬紀事》（前衛出版社）。

　　　　出版文化評論集《文學的原像》及《文學、社會與歷史想像——戰後文學史散論》（聯合文學出版社）。

1996年　《文學、社會與歷史想像》獲選為《聯合報》讀書人版年度好書。

　　　　在《中國時報》人間副刊撰寫「三少四壯」專欄。

　　　　出版散文集《迷路的詩》（聯合文學出版社）。

　　　　出版文化評論集《倉皇島嶼》、《人間凝視》（遠流出版公司）。

1997年　獲選為出版界年度風雲人物。

　　　　專欄文章結集為《Café Monday》。（聯合文學出版社）

　　　　出版文化評論集《在我們的時代》（大田出版公司）。

1998年　出版文學評論集《夢與灰燼──戰後文學史散論二集》（聯合文學出版社）。

　　　　出版文化評論集《知識份子的炫麗黃昏》（大田出版公司）。

1999年　出版文化評論集《Taiwan Dreamer》（新新聞文化公司）。

　　　　出版運動散文集《悲歡球場》（新新聞文化公司）。

2000年　出版運動散文集《場邊楊照》（新新聞文化公司）。

　　　　在《勁報》撰寫「我的二十一世紀」專欄。

2001年　出版文化評論集《那些人那些故事》（聯合文學出版社）。

　　　　在《中國時報》人間副刊撰寫「三少四壯」專欄。

　　　　在《聯合報》副刊撰寫「時空交纏」專欄。

2002年　出版長篇小說《吹薩克斯風的革命者》（印刻出版公司）。

出版散文集《新世紀散文家：楊照精選集》（九歌出版社）。

出版《爲了詩》（印刻出版公司）。

楊照作品集 *2*

我的二十一世紀

作　　者	楊　照	
發 行 人	張書銘	
社　　長	初安民	
責任編輯	黃筱威	
美術設計	張薰方	
校　　對	呂佳眞　黃筱威　楊照	
出　　版	INK 印刻出版有限公司	
	台北縣中和市中正路800號13樓之3	
	電話：02-22281626	
	傳眞：02-22281598	
	e-mail：ink.book@msa.hinet.net	
法律顧問	漢全國際法律事務所	
	林春金律師	
總 經 銷	成陽出版股份有限公司	
	訂購電話：02-26688242	
	訂購傳眞：02-26688743	
	http：//www.sudu.cc	
郵政劃撥	19000691　成陽出版股份有限公司	
印　　刷	海王印刷事業股份有限公司	
出版日期	2003年2月　初版	
定　　價	220元	

ISBN 986-7810-13-9

Copyright © 2003 by Yang Chao

Published by INK Publishing Co., Ltd.
All Rights Reserved

Printed in Taiwan

國家圖書館出版品預行編目資料

我的二十一世紀／楊照著. - -初版，
- -臺北縣中和市： INK印刻， 2003〔民92〕
面 ； 公分

ISBN 986-7810-13-9(平裝)
1.論叢與雜著

078   91020396